NEVER UNDERESTIMATE ME!
不要小看我！

33本 **給大人** 的
療癒 暖心 英文繪本

33 INSPIRING PICTURE BOOKS
THAT **HEAL YOUR HEART**

Preface
繪本的多元精采與療癒力量

　　我對繪本的喜愛從大學時期便開始了，繪本裡的故事與圖像非常吸引我。那時繪本還沒有像現在這麼普及，大多以套書販售，彼時尚在就讀的我，套書的價格不是我所能負擔，只能把對繪本的著迷默默的擺在心上。直到許多年後，我的第一個孩子來報到，我開始購買繪本，也大量的從圖書館借閱繪本，除了享受和孩子共讀之外，我也常常沉浸在自己的繪本閱讀中，歡喜滿足。

　　我們家的親子繪本共讀一直持續著，直到今天我的兩個孩子一個小學高年級，一個小學中年級了，我還是喜歡和他們一起看繪本。當然面對大一點的孩子，不能再說一些幼幼繪本給他們聽，他們可是會嫌這些書好幼稚的。小學中高年級以上的孩子很適合藉由各式議題繪本來打開他們的視野，並培養他們獨立思辨的能力。什麼是議題繪本呢？諸如生死議題、生態環保議題、戰爭議題、霸凌議題、兩性平權議題、社會正義議題等等，透過這些議題性較重的繪本引導，孩子有機會從他們狹隘的生活圈裡探出頭來，觸及更寬廣的世界，也開啟孩子關懷社會的動機。

　　喜愛繪本的我，不僅和家中孩子共讀，這兩三年也嘗試把繪本融入到我的國中英語教學中。我一直思考著如何把繪本裡的文學、藝術和多元議題介紹給國中的大孩子，希望英文繪本不只是提升他們學習英語的興趣與成效而已，還能夠扮演涵養其品格和美感的重要角色，更盼望繪本成為他們看向世界的一扇窗，我深

切期待這群年輕的孩子可以長成有正義感、有愛心、願意幫助他人的地球公民。

多年前我曾讀到《花婆婆》這本感動我心的繪本，這本繪本可說是影響我生命至深的繪本。故事裡的爺爺對他的小孫女說：「爺爺希望妳長大後可以做一件讓世界變得更美麗的事。」這句話好觸動我啊！我問自己：「我能夠做些什麼，好讓這個世界因為有我的存在而變得更美麗呢？」那時我的心中沒有清楚明確的答案，直到這幾年我投入時間與心力，大量閱讀中英文繪本之後，這個答案慢慢浮現了！我想要把我對繪本的熱愛分享出去，讓我的學生和更多的大人朋友看到繪本的多元、豐富和美好。於是，我開始走在繪本教學和繪本閱讀推廣的路上，能夠找到可以挹注生命熱情的所在，我覺得好幸福啊！尤其當我把喜歡的繪本分享出去時，看到聽者那一雙雙亮晶晶的眼神和微笑的神情，真的好令人開心！

如果你問我：「為什麼那樣著迷於繪本而無法自拔，繪本的魅力究竟何在？」我會告訴你，繪本教我很多很多，它不僅帶給我美的饗宴，也讓我重新拾起失落已久的童心，還引領我去認識並關注人生中不可不想的重要議題，開啟了我看見更廣大世界的眼光。而在閱讀英文繪本的過程裡，我也不斷在精進自己對英語的敏感度與掌握度，且真正的愛上了英語！

別刻板的以為字少圖多的繪本是專屬幼小孩童的啟蒙讀物，大人看繪本也能從中受益。我自己就時常在繪本閱讀裡得到溫

暖的撫慰與療癒，而有著強烈理性思維的我，也因著繪本的帶領，大大開啟了遺失許久的想像力與創造力。像是閱讀英文繪本《Cleo》，就讓我有機會跟著故事裡的主角 Cleo 一起在她的想像世界裡穿梭來去。我愛極了作者 Sassafras De Bruyn 為 Cleo 所創造的他方，如此如夢似幻、迷人美麗，讓我就這麼沉醉在這些動人的畫面裡，享受著奔馳在想像國度的美好。

天真無邪的孩子們讀繪本是讀故事的趣味與精采，而有過一些人生閱歷的大人們讀繪本，更能讀出其中的深刻與況味。我們看著繪本裡的故事去印照自己的生命經驗，進而產生共鳴與體悟，這是看似簡單的繪本很不簡單的地方啊！許多繪本用故事隱喻著生命的真諦和人生的道理，孩子還不懂這隱喻，大人是懂得的，感動之餘並從中得到了繼續前行的力量。

當你想哈哈大笑時，當你想獲得暖心的撫慰時，當你思索什麼才是人生重要的事時，當你想要擁抱可貴的想像力時，當你懼怕生命終有盡時，當你處於人生低谷或難以招架的傷痛時，當你內心感到怯懦恐懼時……遇到這些時刻，都邀請你進來繪本花園裡，繪本將為你訴說扣人心弦的故事，只要你豎耳傾聽、用心領略，繪本定能為你撥雲見日，協助你找到生命的方向與答案。

－兒童文學工作者暨親職作家

李貞慧

Table of Contents

目次

不要小看我！

33本給大人的療癒暖心英文繪本

不要小看我！

33本給大人的療癒暖心英文繪本

不要小看我！
33本給大人的療癒暖心英文繪本

第一帖藥方

全身健檢：勾一張自我檢視表

翻攝自：So Few of Me

文・圖：Peter H. Reynolds
出版社：Candlewick
出版日期：2006. 08. 22

01
So Few of Me
當你把自己困在一堆待辦事項中

 聽一聽這則故事

　　Leo 很忙碌，無論他怎麼努力工作，每天事情還是做不完。他把要完成的事項列成一張清單備忘，他的待辦清單越列越長，他心想：「太多事情要做了，一個我不夠用，好希望有兩個我啊！」這時，「叩！叩！」響起了敲門聲，Leo 開門一看，不敢相信自己的眼睛，另一個 Leo 出現了！

　　結果兩個 Leo 還是不夠用，又相繼出現了第三、第四、第五、第六、第七、第八、第九和第十個 Leo，每個 Leo 都好勤奮的在工作，一個比一個忙。

　　真正的 Leo 一停止手邊的工作，其他九個 Leo 便對他大喊：「快回去工作！沒時間停下來，沒時間休息的！」但真正的 Leo

已經筋疲力竭了，他悄悄離開，想休息一下。

　　小憩片刻醒來，真正的 Leo 發現其他九個 Leo 直瞪著他看，盤問他：「你在做什麼？」真正的 Leo 輕聲回答：「我剛剛在做夢啊！」，其他九個 Leo 不以為然的大吼：「『做夢』並不在待辦清單上！」真正的 Leo 不理會他們的抗議，他帶著微笑，品嘗剛剛的夢。此時，其他九個 Leo 一個接一個消失了。

　　Leo 心裡浮現一個想法：「如果我少做一些事，但每件事都盡力做到好呢？這樣就只需要一個 Leo 便足夠了，而且我還有時間做做夢呢。」

你的生活是否也過得庸庸碌碌？

 讀一讀繪本原汁原味的英文

Leo was a busy lad. No matter how hard he worked, there was always more to do. Maybe making a list would help. Leo's list of things to do grew and grew.

Leo 過得庸庸碌碌，不管他多努力工作，事情只會越來越多。也許列張清單有用吧。但 Leo 的清單卻越來越長。

　　這段文字根本是在說我嘛！每天不管怎麼努力，待辦事項只會越來越多，從來就不會變少，更不可能完全歸零。我問自己：「有需要這麼累嗎？休閒與放空也是心靈的補給品，不如慢下來吧！心一急，腳步一加快，就看不見沿途美麗的人生風景，如此錯過的豈不更多？」我得要時時自我提醒「慢活」的美好與重要。

想一想繪本的內在訊息

　　我有一本隨身攜帶的記事本，上頭列著一條又一條待辦事項，每完成一件，我就會在這個事項上註明「OK!」，代表已完成。一天結束前，若完成的事項越多，我便覺得今天很有效率、時間沒有虛度。

　　但是每天看著怎麼做也做不完的待辦清單，真的會十分焦慮。該做、想做的事，好不容易完成一項，可能又接連蹦出好幾項，沒完沒了，永遠被待辦事項追著跑。

　　為了生活、為了理想、為了對自己交待得過去，我很努力、很精進的在過每一天，但連帶的也給自己許多責任和壓力。這些心理壓力很自然的反應在身體上，一焦慮、一忙亂，我的腸胃就會向我抗議，提醒我：「放輕鬆，慢慢來，偶爾也給自己留白的時間，別老怕事情做不完，一切都會很圓滿順利。」

　　Leo 的生活模式完全是我的寫照，最後 Leo 終於懂得慢下腳步，不讓自己淹沒在永無止盡的待辦事項中，在一張一弛間，過著有餘裕、有品質的生活，這是我要學習的啊！日常生活裡，很多看似緊急的事情必須馬上處理，但這些看似緊急的事項，若將之放在生命長河裡來看，頓時變得微不足道，而我每日又花了多少時間在這些其實沒那麼重要的事上呢？

　　我總是太貪心，這個想抓，那個也想要，不懂得取捨，讓自己困在做不完的事情中，難以殺出重圍。看似一步步朝理想邁進，

卻遺落了生命中更要緊的事，就是「沒有好好照顧自己，讓自己的身心時常處於過勞的狀態啊！」

　　繪本看似簡單，其實很不簡單，絕不只是幼小孩童的啟蒙書而已。這本繪本不就是這樣嗎？大人對照生活經驗，會比小孩讀來更有感，我自己便從這故事中得到深切的反省。每日盡心盡力忙碌著諸多待辦事項，看似活得充實飽滿，然而會不會失落的比獲得的還要多？失去欣賞大自然好山好水的雅興，失去不帶目的、純粹玩耍的樂趣？失去讓自己的心全然放鬆、留白的能力？原來，自以為認真精進，事實上是更多更多的失去。

　　此刻，重新審視自己的記事本，我決定一一劃去可做可不做的事情。我要學 Leo 少做一些，只留真正至關重要的事好好做，每天給自己多一些空白時光，允許自己慵懶，什麼都別想、什麼都別做，完完全全靜下來，讓身心有機會得到完整的休息。或許將來會驚喜的發現，在看來無所事事的休息裡，我能體會到更多、更美好、更豐盈、更令人意想不到的人生奧義。

 看一看其他好書

　　此繪本有中譯本，書名為《一個我不夠用》，道聲出版。

翻攝自：Hello! Hello!

文‧圖：Matthew Cordell
出版社：Disney-Hyperion
出版日期：2012. 10. 30

02
Hello! Hello!
當你沉迷 3C 產品中

 聽一聽這則故事

　　Lydia 擁有好多 3C 產品：掌上型電玩、筆記型電腦、電視和手機等等。有一天，這些電子產品全出了狀況——有的沒訊號，有的連線超龜速……，Lydia 想不出能做什麼？就去找媽媽，對媽媽說：「哈囉。」媽媽忙著打電腦，視線並沒有離開螢幕，只隨口回 Lydia：「哈囉～。」Lydia 覺得無趣，那麼去找爸爸吧！也對爸爸說：「哈囉。」爸爸正在使用他手上的 3C 產品，也和媽媽一樣心不在焉的說：「哈囉。」Lydia 又去找她的弟弟 Bob，Bob 一整個人沉浸在電玩世界中，一聲回應也沒有。

　　Lydia 嘆了一口氣～～欸？怎麼有片葉子被風吹了進來？原來，門開著耶！Lydia 決定出門去看看。

Lydia 對迎面吹來的片片落葉打招呼，對在頭上盤旋的小飛蟲打招呼，也一邊嗅著花香一邊對花兒打招呼。她在開滿花朵的綠地上跑了起來，她開心的向整個世界打招呼！

接著，Lydia 驚喜地發現一匹馬兒在河邊喝水，她對馬兒說：「哈囉。」，馬兒竟叫出 Lydia 的名字，還和她打招呼：「哈囉。」馬兒讓 Lydia 騎在背上，載著她在草地上乘風奔馳。後來陸續出現各式各樣的野生動物，甚至連恐龍和海中生物都來到了這片開闊的草原，對 Lydia 說：「哈囉。」就在大家徜徉在大自然中、開心的奔跑時，Lydia 的手機鈴聲突然響起，動物們嚇了一大跳，緊急剎車，止住腳步。

原來爸爸媽媽找不到 Lydia，很著急，打電話來要她馬上回家。Lydia 一進門，爸媽兩人便都一手拿著 3C 產品，一手插著腰，怒氣沖沖的指責 Lydia 不該沒說一聲就跑出去玩！

這時，Lydia 輪流向爸爸、媽媽和弟弟 Bob 說：「哈囉。」，並拿出剛剛遇見的落葉、花兒和小瓢蟲，與他們手上的電子產品交換。然後，Lydia 一家四口一塊兒走出戶外，欣賞落葉紛飛，也一起對外面美好的世界說：「哈囉。」

 讀一讀繪本原汁原味的英文

　　這本繪本文字非常的少，不斷出現的字就是「Hello」。讓我們從說「Hello」開始，真真實實的與他人和大自然接觸吧！適切使用 3C 產品，可以帶來諸多便利，但別讓 3C 產品宰制我們的生活，忘卻了與真實世界的相互凝視與情感交流。

想一想繪本的內在訊息

　　兩年前，我還一直手持舊式手機，覺得沒有換成智慧型手機的必要。記得那時一拿出手機，常會聽到有人對我說：「還在拿這種舊式手機啊？這已經是骨董啦！」我不以為意，心想：「我就是不想跟流行，和許多人一樣變成『低頭族』嘛！」

　　後來，先生還是買了台智慧型手機給我，使用之後，我開始對智慧型手機有了不同的想法與感受：原來智慧型手機就像是一台掌上型電腦，到哪裡都可以辦公，也非常方便藉由社群網絡與人聯繫，難怪這麼多人被它吸引，甚至已然成為二十一世紀現代人的生活必須品。

　　慢慢的，開始習慣到哪裡都要帶著智慧型手機，雖然對線上遊戲沒興趣，但有事沒事就開啟螢幕，查看有沒有人發訊息給我，或是隨意上臉書瀏覽資訊。這習慣性滑手機的動作被孩子發現了，孩子說：「媽媽，你現在也變成低頭族了！」

　　孩子的反應讓我心裡一驚！是啊，以前那麼抗拒成為低頭族，怎料竟不知不覺也加入了「滑手機一族」的行列。不給孩子手機，自己卻這麼依賴手機，實在是不怎麼良好的身教，我意識到該做調整了。

　　我開始節制使用手機的時間，提醒自己：「善用手機便利之處，但不要過度依賴，成為手機的俘虜，進而影響了與家人的相處。」

在手機上看著他人可愛的孩子、寵物，自己的孩子是不是卻忘了陪陪他？

《Hello! Hello!》這本繪本讓我好有感，科技進步太神速，現代生活裡，充斥著各式各樣 3C 產品，為我們帶來許多便利性，也讓天涯若比鄰，可以輕鬆的與遙遠國度的人們聯繫與交流。真的很難再回到沒有 3C 產品的世界了！但我們可以做的是——不要過度沉迷其中，影響到與真實環境的互動，也莫讓人與人之間僅剩下 Line 或臉書的交流。偶爾約好友出來見見面、聚聚餐吧！與朋友對坐暢談，看著彼此的眼神和笑顏，感受對方真切的存在，是多愉快的事啊！

而家人彼此的情感更要用心經營，別讓電腦、平板或手機代我們陪伴孩子。孩子需要時常與父母有言語的交談、眼神的交流和身體溫暖的接觸，也需要我們引領他們走向大自然。唯有對大自然有情、對他種動物有愛，人類才不會恣意的破壞地球，才能期待地球有更美好的未來。

來試試看，好不好？試試一天不帶任何 3C 產品出門，好好看看這個世界和身邊的人們，也許你我會發現，沒有手機、沒有電腦，我們還是會活得很好！

1. 這本繪本有中譯版,書名為《哈囉!哈囉!》,維京出版。

2. 作者 Matthew Cordell 另有一本溫暖的作品,書名為《Wish》,描述一對夫妻渴望擁有自己孩子的心情。他們的求子過程有失落、有挫敗,還好這真誠的願望最終得到了實現。(此繪本有中譯版,書名為《等待一個最美的……心願》,維京出版。)

翻攝自：Elephant in the Dark: Based on a poem by Rumi

文：Mina Javaherbin / 圖：Eugene Yelchin
出版社：Scholastic Press
出版日期：2015. 08. 25

03
Elephant in the Dark:
Based on a poem by Rumi
當你堅持己見

 聽一聽這則故事

這個故事是以波斯詩人魯米的一首詩為基底創作出來的。

有個商人從印度帶回了一隻神秘的巨型動物，大家好奇的聚在商人家門外，吵著要打開穀倉一探究竟。剛長途跋涉回來的商人，疲累的大喊：「穀倉太暗啦，什麼都看不見。回家去吧，先讓我好好睡一覺！」

大家哪肯就這樣離開，穀倉有個小窗口，村民們便一個個輪流摸進黑漆漆的穀倉。

第一個村民碰觸到的是這隻動物長而滑溜的鼻子，他驚慌失措的跑出來對大家說：「這隻動物是一條蛇。」

第二個村民則抱到了這隻動物的其中一條腿，他對大家說：「一點也不像蛇，比較像樹幹。」

第三個村民爬進黑暗的穀倉後，被這動物的大耳朵給打到臉，她衝出來驚嚇的更正：「不像蛇，也不像樹幹，其實像一把巨大又鬆軟的扇子！」

他們爭論不休，人人都堅持自己是對的。其他村民決定自己進去看看，但每個人在黑暗中感受到的都不一樣，大家彼此咒罵，從白天吵到深夜，沒有人聽得進別人的說法。

一直吵到天都亮了，商人睡飽了，領著他那頭美麗溫和的動物往河裡去，而忙著爭吵的村民們根本沒注意到那頭灰色大象的出現，當然也沒有人發現原來他們每個人都只接觸到真相的其中一小部分而已。

只有小孩們跟著商人和大象來到河邊，看著大象玩水玩得好開心。

 讀一讀繪本原汁原味的英文

But everyone was still too busy fighting to notice the large gray elephant. And no one noticed that they each knew only a small piece of the truth.

每個人還在爭吵不休而沒有注意到大象。也沒有人注意到
原來他們都只看到真相的一小部份而已。

　　一群大人為了證明自己才是對的，吵得不可開交，連商人帶著大象出來了也沒看見，還繼續拚命的爭論不休。其實啊，只要肯放下心中的執著，一轉身就會見到大象，就會知道真相，可是他們的心都被自己的偏執給蒙蔽了。

想一想繪本的內在訊息

　　這則寓言是不是讓你聯想到「瞎子摸象」的故事？我們很容易以自己有限的認知和理解力去看待事物，以為我們眼睛看到的、耳朵聽到的、鼻子聞到的、手觸摸到的，必定就是事情的真相與整體樣貌。殊不知我們凡人各自有各自的侷限，也各自帶著偏見在覺察外面的世界。我們以為的真相不必然是真相，我們可能只知其一，卻不知其二。倘若剛愎自負，不願打開心窗，聽聽別人對同一件事情的觀察和我們哪裡不一樣，我們將永遠沒有機會讓自己的心靈成長，成為一個擁有開闊胸襟、願意接納多元想法的人，這會是多大的遺憾啊！長久活在自以為是的狹隘偏見裡，一味的只想說服別人「我才是正確的，我的看法才是王道，你們都是錯的，你們就是要聽我的！」，這樣的執念會讓自己不好過，得不到心靈的喜樂平靜。

　　在職場上，我也曾多次這樣堅持己見，覺得自己已不是菜鳥老師，有一套自己的教學準則與風格，對他人給予的提點與建議，一開始會有排斥、抗拒的心理。總要等到自己的心沉澱下來，方能細細思考他人的意見。是的，一個人埋頭苦幹，用自己以為好的方式進行教學，就好比「瞎子摸象」，看不見自身的盲點，這時倘若有他人願意給予中肯的提醒，告訴我不足之處何在，以及怎麼調整可以更接近學生的需求，都要真心的大大表示感謝啊，起初會抗拒，只因高傲的自尊心讓自己拉不下臉，但想想要這樣的自尊心做什麼用呢？它只會阻礙成長，讓自己活在封閉的象牙塔中，不是嗎？

若我們不肯接納別人的見解，我們就看不見真相。

下次當我再度自視甚高，堅持己見，不願傾聽他人時，我會記得再次翻開此書細細品味。提醒自己放下成見，以清明之眼、以更寬闊、更富有彈性的眼光，重新看待眼前的事物，也願自己能夠廣納他人的想法，讓自己的心成為因為不斷流動而越見清澈的河，而非一潭紋絲不動的汙濁死水。

看一看其他好書

1. 關於「瞎子摸象」的改編版還有 Ed Young 創作的繪本《Seven Blind Mice》，一併推薦給大家。

2. 關於觀點如何影響我們對人事物的看法，另推薦 Brendan Wenzel 的作品《They All Saw a Cat》。（中譯本書名為《他們都看見一隻貓》，道聲出版。）

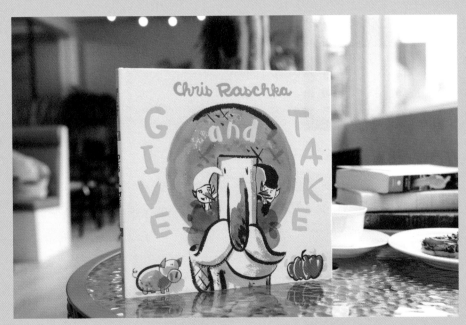
翻攝自：Give and Take

文．圖：Chris Raschka
出版社：Atheneum / Richard Jackson Books
出版日期：2014. 08. 26

04

Give and Take

當你想在「施」與「受」間取得平衡

 聽一聽這則故事

　　農夫種的蘋果成熟了，他在簍子裡裝滿了又紅又大的蘋果。突然，從簍子裡蹦出了一個小矮人，他說：「我叫『拿』，只要聽我的話，我就能幫你帶來更美好的生活噢。」

　　農夫帶著小矮人「拿」，經過鄰居家，鄰居想送些南瓜給農夫。小矮人「拿」對農夫說：「不用客氣，把看到的南瓜全拿走吧！」農夫就把簍子裡的蘋果全倒出來，改放入滿滿的南瓜。

　　回到家，他煮了南瓜湯。問題是，他根本就不愛喝南瓜湯呀！他想要的只是一顆紅蘋果！心情好悶，農夫什麼都沒吃就去睡了。

　　隔天一早，農夫很生氣的把還在熟睡中的小矮人「拿」給趕了出去。

然後，農夫又從樹上採了一簍子成熟的蘋果。咚！又跳出另一個小矮人，他說：「我叫『給』，只要你肯聽我的話，我就能幫你帶來更甜美的生活。」

農夫帶著「給」，經過一戶養豬人家，豬農對農夫說他養的豬喜歡吃蘋果。於是，小矮人「給」要農夫把一簍子蘋果全送給豬農，還要農夫分享心中所有的想法給豬農聽。農夫滔滔不絕的說呀說，豬農實在受不了農夫的長篇大論，悄悄離開了。農夫只好無趣的回家，摸摸餓扁的肚子，上床睡覺了。

隔天一早，農夫很生氣的把還在熟睡中的小矮人「給」也趕了出去。

他又帶著簍子去採摘他的蘋果了。突然，一陣吵鬧聲！原來是「給」和「拿」這兩個小矮人，為了到底誰比較厲害而大打出手、互不相讓。農夫頓時心生一念，把兩個小矮人都放進簍子裡，就擺在蘋果的上面。

回家途中，農夫來到磨坊主人的家，提議：「我給你一些蘋果，你給我一些麵粉，好嗎？」磨坊主人欣然同意。

拿到麵粉的農夫，回家後，把麵粉做成麵糰，把蘋果做成蘋果醬，然後把麵團和蘋果醬組合在一起，烘烤出美味新鮮的蘋果派！

此時，小矮人「給」和「拿」也吵得好累好累了，決定握手言歡，與農夫共享可口美味的蘋果派。

 讀一讀繪本原汁原味的英文

At last, exhausted from their fighting, the two little men looked at each other.

"Take my hand," said the one.

"Give me a hug," said the other.

終於，大家都吵累了，兩個小矮人彼此對看。
「握住我的手吧。」一人說。
「給我一個擁抱。」另一人說。

　　「給」與「拿」這兩個小矮人爭吵不休，一個堅持「拿比較好。」，一個則堅持「給比較好。」到最後，兩個都累壞了，互相看著對方，決定握手言和。

俗諺說：「施比受更有福。」可是，如果是處在不斷付出、不斷掏空自己的狀態下，是不是極可能會有能量耗盡、精疲力竭的時候？

反之，若對他人付出少之又少，卻不停接受他人給予的恩惠，這樣的人際互動也是失衡的、不和諧的，無法走得長長久久。

無論親情、愛情或友情，都不能一味的單向給予，或單向接受。每一段健康的人際關係，皆須維持雙向的情感交流，彼此都得是這段關係的給予者和接受者，有來有往的互動，方能細水長流。倘若其中一方一直扮演付出者的角色，另一方則不斷被動的接受，且自私的視之為理所當然，在這樣不對等的關係裡，我們很難看到幸福與圓滿。

這倒不是說要在「施」與「受」的天平上斤斤計較誰付出得多、誰付出得少。當需要如此費心算計彼此付出的多寡時，在這段關係裡的人們肯定是辛苦且不快樂的。一段讓人感到舒服的關係，雙方都是「施」者，也同時是「受」者，且不會去罣礙我付出多少，對方就得回報多少。「施」的時候，歡歡喜喜、心甘情願；「受」的時候，沒有壓力、坦然自在。不在愛裡費心計較與強求，我們才能安在，才能感受到愛人與被愛的美好。

付出和給予是好事，但要在能力許可的範圍內去貢獻自己的心意與心力。如果像故事裡的農夫把一簍子的蘋果全給了豬農，

有些人忙於做志工幫助他人，卻忘了自己的家人也需要照顧。

奉獻自己的愛心，也別忘了身邊的人。

自己卻沒東西可吃，挨餓入睡，那就做得太過度了。愛別人之前，也要先學習愛自己啊！沒有真正學會愛自己的人，是不可能付出飽滿豐盛的愛與關懷給他人的。

　　而當別人願意慷慨的與我們分享時，我們也切莫貪婪的想要從他身上得到更多更多。懷著感謝的心，安然收下他人仁慈的心意。在有能力回報時，也不忘給予。給予的對象可以是當初那個與我們分享的人，也可以是其他我們在人生路上有緣相逢的人。讓「施」與「受」這兩者間的動態循環，成為人世間溫暖美麗的存在。

看一看其他好書

1. 此繪本有中譯版，書名為《給還是拿？》，小天下出版。

2. 本文介紹的這本繪本的作者 Chris Raschka 曾於 2005 年和文字作者 Norton Juster 合作，共同創作了一本描繪祖孫情誼的繪本《The Hello, Goodbye Window》，故事溫暖動人，也非常值得一讀。中文版《哈囉、再見的窗口》（遠流出版）。

3. 關於「給予」與「接受」這個主題，當然不能錯過美國繪本創作家 Shel Silverstein 的經典繪本《The Giving Tree》。（中譯本書名為《愛心樹》，水滴文化出版。）

翻攝自：Wait

文、圖：Antoinette Portis
出版社：Roaring Brook Press
出版日期：2015. 07. 14

05
Wait
當你腳步匆忙，無法享受現下的美好

 聽一聽這則故事

　　這本繪本幾近無字書，全書只用了 "hurry" 和 "wait" 兩個字。

　　媽媽牽著小男孩出門，她匆匆忙忙看了一下手表，催促小男孩「Hurry!」。小男孩看見一條狗，對媽媽說「Wait.」，他蹲下來，摸摸小狗。

　　媽媽又再次說「Hurry!」，咦，那不是工地裡的工人叔叔嗎？小男孩對媽媽說「Wait.」，他和叔叔揮揮手、打招呼。

　　媽媽又說了一次「Hurry!」，哎呀公園裡有人拿吐司餵食小鴨呢，小男孩再次對媽媽說「Wait.」，他也想餵小鴨吃吐司。

　　媽媽怕來不及，沿路不斷提醒小男孩「Hurry!」，哇！是

冰淇淋車耶～小男孩被車上的彩虹冰棒圖片給吸引，對媽媽說「Wait.」。

　　媽媽並沒有停下來買冰淇淋，只是拉著小男孩繼續趕路。途中小男孩為草叢裡的蝴蝶駐足；下雨了，他張大口讓雨水滴進嘴巴裡，街上任何的風景都讓他充滿好奇！而媽媽呢，只是一路拚命專心的與時間賽跑，就擔心搭不上車。終於趕到車站了！媽媽催著小男孩趕緊上車，小男孩這時一手拉了拉媽媽的裙角，一手指著遠方，對媽媽說「Wait.」。原來是天邊出現美麗的雙彩虹啊！媽媽終於停下匆促的腳步，抱起小男孩，一同凝視彩虹之美，讚歎著：「Yes. Wait.」

 讀一讀繪本原汁原味的英文

　　整本繪本裡，只出現了 "hurry"「快一點」和 "wait"「等一下」兩字。

　　在繁忙緊湊的生活節奏裡，願你我不急不徐，告訴自己：「別急，別急，太匆忙想把事情做好，反而可能什麼都做不好！緩下來，喘口氣，相信一切都會很好、很平安順利。」

在《寫給媽媽的佛法書》一書裡，讀到一段美好的文字：「孩子總是能將你帶進當下及玩耍之中。而除非你已準備好能完全處於當下，你沒法跟孩子玩。當我們熟悉練習之後，我們的內在會產生如玩樂時的創造能量。請你想一下跟小孩子去散個步的情況，走完一段街區要花的時間真是讓人無法想像地長——有如此多的東西需要注目，要發表意見，還要問問題。看看腳下的那池泥巴水，你發現它真像個鏡子。是鏡子嗎？還是窗戶？在水裡的是我們嗎？或是另外還有世界？看起來跟我們的世界不大一樣耶。我記得當我女兒五、六歲時，每次我們看到青苔時就必須停下來，接著我們必須用手指頭扮演小仙人走過這個『仙境』——因為少量的小堆青苔就像是仙境裡的樹。因此，每次散步都要很久，而時間也都過得很慢。就好像孩子把時間拉長了，長到時間開始消失。孩子並不住在我們時鐘滴答響的世界裡頭，他們強迫你，把平日的目標導向的行事風格，暫時放到一邊去。這真是不凡的禮物與教導。」

　　是啊，孩子總能在細微事物裡發現趣味，然後一玩就是老半天，目標導向的生活不屬於他們，他們專注在玩耍與探索中，時間在他們手裡得到延展、甚至消融，時間這頭巨大猛獸絲毫困不住他們。

　　記得一日早晨，外頭下著小雨，我幫孩子換上雨衣，到公園踩水窪。孩子滿臉笑意，感受著踩水窪的無窮樂趣，兒子直說：

「踩水窪好好玩！」孩子們一心一念盡情享受下雨帶來的清涼與玩水的趣味，他們可以如是自然、不費力的做到「忘卻過去與未來，專注當下」，這對心裡老有罣礙、思緒老是紛飛、老想著接下來還有哪些待辦事項的我來說，的確是不凡的教導。當陪伴孩子踩水窪或做其他事情時，表面上我雖與孩子同在，但心思卻常飄向他方，心裡常常會有「今天一定要把某些事情完成」的執念，當這執念一升起，我便無法在陪伴孩子玩耍時，專心投入，也難以全然開放自己去享受與孩子相處的歡樂，這讓我錯過很多。

雖然妥善規劃一日二十四小時，是為了讓每日的生活充實不留白，但如果我們在陪伴孩子時，仍心心念念那些永遠做不完的

我們的腳步總是匆忙……

待辦清單，那麼非但無法全心全意陪伴孩子，且容易要求孩子設法配合我們的時間安排，亦會對孩子本身的需求失去敏感度，這是我們大人該嘗試調整的部分啊。

孩子不費吹灰之力便能專注於當下，盡情享受玩耍。對他們來說，世界無敵新鮮有趣，他們帶著無比好奇的心與清亮的眼睛不斷探索周遭世界。在小小的腦袋瓜裡，沒有對過去的執著與對未來的妄念，心思清靜純粹的活在此時此刻。我們大人則彷彿活在截然不同的世界、每天趕車、趕上班、趕著處理生活各種細瑣繁雜的事項，趕著奔赴未來。我們無法悠然享受當下，甚至怕孩子影響了我們既定的行程規劃，也拉起孩子的手，不斷催促孩子：「快點快點，來不及了！」孩子被催促久了，會不會也漸漸喪失慢活當下的能力與好奇探索世界的想望？

大人背負著生活壓力，有時難免被時間追著跑，就算心裡並不想，還是得被逼著不斷趕趕趕！看似有些無奈，但我們仍可以在急需處理的事情完成後，調整自己的呼吸與情緒，讓自己慢下來。以孩子為師，學習對生命敞開，放下焦慮與牽掛，享受當下的美好。生命不全然是壓力與責任，生命可以是一趟充滿新奇與樂趣的旅程。當聚焦在手上怎麼做也做不完的工作時，偶爾抬起頭看看天空吧，也許會看見一大片迷人的蔚藍，或是一道美麗的彩虹，這些都在提醒我們：只要願意沉澱躁動煩亂的心，放慢腳步去體會萬事萬物的存在，生活無處不美好。

何不休息片刻？讓自己慢下來。

📖 看一看其他好書

《寫給媽媽的佛法書：不煩不憂照顧好自己與孩子》，莎拉・娜塔莉 著，橡樹林出版。

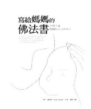

第二帖藥方

照照 X 光：離開舒適圈吧

翻攝自：What Do You Do with an Idea?

文：Kobi Yamada ／圖： Mae Besom
出版社：Compendium Inc
出版日期：2014. 02. 01

06
What do You do With an Idea?
當你心裡有個想法

 聽一聽這則故事

這個故事以「我」為敘事者。

有一天，我心裡浮現一個「想法」（註：繪者 Mae Besom 將「想法」具象化，以一顆「帶著王冠的蛋」呈現），一開始，我不知道該拿這顆蛋怎麼辦？我從它身邊逃離，假裝它不存在。但是這顆蛋一直跟隨著我，我真害怕別人會用異樣眼光看待它。

不過，後來我發現，和這顆「想法」在一起時，我感覺更好也更快樂，於是和它成了好朋友，還把它介紹給其他人。然而，許多人對我說，和它在一起怪怪的，沒有什麼好處，只是在浪費時間。我差點就相信了他們的話，還好我沒有照他們說的去做。這個想法是我的，我最了解它，就算其他人都覺得它古怪、瘋狂，也無所謂，我決定要好好愛它、呵護它。

我為它蓋了一間有開放屋頂的房子，讓它可以在屋子裡仰望星空，安心作夢。只要我跟我的想法在一起，我便感到渾身充滿活力與熱情，彷彿所有事都難不倒我，我有勇氣挑戰更多的事情。而我的想法也鼓勵我以不同的角度去思考人事物，它帶我跳脫許多的侷限，擁有更廣大的胸襟，我不能想像生命中沒有它該怎麼辦？

　　然而有一天，一件奇妙的事發生了！我的想法竟然張開翅膀，一飛衝天。現在，我的想法不只屬於我自己，而是存在於整個天地之間。我終於明白，原來，你如何對待你心中的想法，決定了你是否有機會改變世界。

讀一讀繪本原汁原味的英文

"This is MY idea, I thought. No one knows it like I do. And it's okay if it's different, and weird, and maybe a little crazy."

我認為這是『我的』想法，沒有人比我更了解。而且這個想法要是很不一樣或很奇怪，甚至有點瘋狂，也沒關係。

　　是的，沒有人比我們了解自己心中的想法，就算在他人眼裡，我們的想法古怪，甚至有一點瘋狂，那又如何？太在意別人的眼光和評價，我們會活得好累好辛苦。別怕，傾聽內在的鼓聲，勇敢做自己，朝那鼓聲的方向，堅定的往夢想的遠方前進吧。

當你心裡有個新穎的想法時，你會怎麼做？讓這個想法在心頭一閃而過，便不再搭理？或是很認真的思考它的可行性，但總是自我設限太多，擔心阻礙重重，最後還是不了了之？或是你會如同這故事裡的「我」，最後選擇好好珍惜並照顧你的想法，供給它充足的養分，讓它在你的呵護下越長越大越長越大，最終成就一椿好事、一件美麗的創作品、一個偉大的夢想或一段精彩的旅程？

高中時代的我，是個有夢想也有行動力的少女，我自辦社團，也在校刊社裡實踐心中關於編輯和寫作的夢。爾後，上了大學，腦子還是不停的轉呀轉，不時有新鮮的想法蹦出來，想做這件事，也想試試那件事。

不久，在校園認識一個男孩，我很在乎他的想法，他說的每句話對我來說都極具份量。那時他曾對我說：「我覺得妳很有企圖心。」我隱約感覺他並不欣賞有強烈企圖心的女孩，於是開始收斂光芒，不再汲汲於實現心中亮閃閃的、關於這個那個的夢想。只要他願意接受我、喜歡我，我甘願做一個跟隨他腳步前進的小女人。

但，後來愛情夢碎了，也讓我明白一件事：在愛裡，不能沒了自己。如果愛一個人，必須迎合對方而犧牲自己的完整性，這樣的愛不是真愛，也絕不會從這樣的愛情裡得到實實在在的幸福。

即使我的想法和他人不一樣，又有什麼關係？大膽放手去做！

之後，慢慢尋回自我的主體性。只是年紀越大，膽子似乎越小，當心頭浮現什麼想法時，我總是瞻前顧後，怕東怕西，只要一想到許多現實層面的問題，便連一點點小小的行動都不敢採取就決定放棄。

但是那個有想法、有夢想、也有行動力的女孩依舊住在我心底，不曾離開，只是沉睡著，等待被喚醒。直到進入不惑之年，我在繪本世界裡找到熱愛，那個敢於作夢的女孩重新在我心中甦醒，為我的生命帶來無限動能與活力。現在的我，又像少女時期那樣，腦袋瓜裡有好多想法一個個接踵而來，面對這些想法，我會思索哪些可以勇敢化為行動、付諸實踐，哪些還需要時間慢慢醞釀、不必著急。當將心中的想法轉化為一本書、一堂課、一場演講或一個說故事活動，並因此激起外界一圈圈美好迴響時，內心自是喜悅無比，也更加對自己充滿信心，且更有勇氣迎向新挑戰。但並非每次皆能如此順遂，總會有一些想法不夠周延，經不起現實考驗，終告失敗的時候。這時難免會沮喪、氣餒，但我不會讓自己陷溺在負面情緒中太久，心念一轉，又是海闊天空一片，繼續孵育下一個想法與行動。

人到中年，還可以重拾青春年少的熱情與動力，想要做點什麼讓世界變得更美麗，對於這個生命的轉捩，我心存感激。也想與親愛的大家相互勉勵，當你心中有想法，請不要對它視而不見或認為它過於荒誕奇特而抗拒，好好的珍惜它，小心翼翼的呵護，

也許哪一天時機成熟，這小小的卻富含創意的想法會帶你走到很遠的彼方，實踐大大的、驚人的夢想，讓你的生命綻放璀璨光亮！

看一看其他好書

1. 此繪本有中文版，中文版書名為《如果你有一個想法？》，三之三文化出版。

2. 繼《What Do You Do with an Idea?》之後，作者又於 2016 年 7 月出版了姊妹作《What Do You Do with a Problem?》，勉勵讀者正向看待生命中的各種難題，每個難題的背後可能隱藏著千載難逢的良機，端賴我們用心去找尋、發現。

翻攝自：The Cow Who Climbed a Tree

文 · 圖：Gemma Merino
出版社：Pan MacMillan / Macmillan Children's Books / Albert Whitman & Company
出版日期：1964. 09. 10 / 1988 / 2016. 03. 01

07
The Cow Who Climbed a Tree
當你自我設限

 聽一聽這則故事

　　Tina 是隻好奇的牛，每天都熱情的探索世界，總有各式各樣新奇有趣的想法。但 Tina 分享新點子給姊妹們時，總被嘲笑她的想法太荒謬、不切實際，因為 Tina 的姊妹們只對一樣東西感興趣——就是鮮美多汁的青草。

　　有一天，Tina 又有了新嘗試，她開始爬樹，越爬越高，結果你猜怎麼著？她竟然在樹頂上遇見一隻龍！這隻龍一點都不像書裡提到的龍那般兇猛可怕，不但友善親切，還吃素呢！

　　一整個下午，Tina 和龍天南地北的聊，聊美好的夢想，聊無奇不有的故事。一回家，Tina 便興沖沖的與姊妹們分享奇遇，但姊妹們還是一慣的嗤之以鼻，她們壓根兒就不相信牛會爬樹，更不相信這世界上還有龍。

隔天，Tina 留下一張字條：「我去找樹林裡的龍一起飛向天空囉！」便出門了。姊妹們受夠了，決定出門去把胡鬧的 Tina 帶回家。

這還是姊妹們頭一回進入樹林呢，走著走著，赫然看到一幅景象，驚呆了！「一隻小豬在爬樹！」她們決定也嘗試看看，爬呀爬，爬到樹的高處，眺望遠方：「哇～！！」視野如此不同於平地，這次的體驗讓她們有了全新的眼界。

這時，姊妹們往天空一看，天哪，Tina 和其他好多動物都藉由類似降落傘的輔助物在天空飛翔！太令人難以置信了，但眼見為憑，一切都是真的！

Tina 熱情的邀約好姊妹們一起飛翔，姊妹們竟脫口說了她們從不曾說的話：「好啊，為什麼不呢？」

接下來 Tina 和姊妹們的生活變得完全不同了，她們每天一起迫不及待的探索新事物，想知道還可以把哪些不可能變成可能。

故事的最後一頁沒有文字，畫著 Tina 與她的好姊妹乘著火箭前進月球。這個畫面說明了她們後來真的勇於做大夢，也勇於實踐，把別人認定是天方夜譚的事，化為真實。

讀一讀繪本原汁原味的英文

"Dragons don't exist. Cows can't climb trees. IMPOSSIBLE! RIDICULOUS! NONSENSE!" they said.

「龍根本不存在。牛也不會爬樹。
不可能！太荒謬！不合理！」他們說。

　　這是 Tina 的姊妹們在聽到 Tina 的樹林奇遇時的反應：「龍根本就不存在，牛也不可能會爬樹，這一切太荒謬可笑了，別胡鬧了！」

　　我們很容易以自己狹隘的眼光和極其有限的知識與經驗去解讀事物。凡超出我們可理解的、可想像的，便認為是他人胡謅、誇大其詞。但若換個角度想：「會不會他人說的是事實、確有其可能性，反倒是我思想的封閉偏狹阻礙了我開闊視野的機會？」

　　走出去看看吧，世界很大，就等你去發現它的奇妙，也等你去推翻之前你給自己的設限。

想一想繪本的內在訊息

　　老實說，我以前是個很容易自我設限的人。我的生活圈一向很封閉，就僅僅在家庭與學校這兩個場域遊走，好幾年沒有認識新朋友，日子過得雖安穩，卻相當保守，一步也不敢踏出舒適圈，怕給自己惹麻煩，也怕各種不確定性會擾亂生活的平靜與次序。

　　後來部落格開始流行，喜歡寫作的我開始在網路上建置平台，記錄閱讀心得、育兒生活等，持續不輟的寫了一段時日後，被出版社編輯注意到，邀約寫一本教養書——《面面媽媽碎碎念》。當時出版社的行銷人員非常用心的安排一系列新書宣傳活動，比方搭配我的英語教學專才舉辦大型演講，以及上廣播節目宣傳等等。內向害羞的我，視面對群眾為畏途，雖然教書多年，已可以輕鬆面對一整個班級的學生，但面對熟識的學生可以很自在，而要對著一群大人說話，我還是缺乏勇氣。雖然行銷人員不斷鼓勵我，為我打氣，並分享以往經驗，只要作者把握時機，辦一次大型演講，書的銷售量便有可能大幅提升，但我就是難以克服我的害羞啊，我心想：「要我站在台前對眾人說話，我肯定會緊張到語無倫次、汗流浹背、雙腿發抖的。」就這樣，我的自我設限，讓我不敢嘗試新挑戰，讓我只敢在自己有把握的安全領域裡待著，不願意給自己跨出去的機會。

踏出舒適圈，冒險一下！

　　直到這兩年，才因繪本而有了極大的轉變。因為熱愛繪本，因為熱切的想要把繪本的多元美好分享給更多朋友，於是，我鼓起很大很大的勇氣，站在眾人面前，和大家訴說我對繪本的喜愛與繪本的妙用。一開始，真是緊張到全身發熱、流汗，拿著麥克風和繪本的手還不時發抖！感謝聆聽分享的朋友總是不吝給予正面回饋，讓我在一次又一次的演講中累積成功經驗，漸漸克服對上台的恐懼，也對自己越來越具信心。現在的我，雖然每每上台還是會有點小緊張、小焦慮，但和之前完全不敢在人前展現自我相比，真的進步好多好多，值得為自己掌聲鼓勵。

　　走到不惑之年，原以為我的生命型態大概就是很固定的模式了，沒想到，因緣際會的走到繪本教學與繪本閱讀推廣的路上來，激發出我無限的活力與熱情，讓我願意給自己不同的嘗試機會，生活不再只是小確幸的堆疊，還充滿著比小確幸更令人振奮欣喜的大夢想！

　　親愛的朋友，當你自我設限、不願或不敢踏出舒適圈時，盼望這則繪本故事和我自身的經驗能夠為你帶來一些激勵與啟發。在前方，有許多美麗迷人的風光和美好精彩的人事物正向你招手，只要願意跨出第一步，你的生命就有機會變得不一樣。

1. 此書有中文版，書名為《牛爬樹，真的嗎？》，格林文化出版。

2. 另推薦繪本創作家 David Shannon 的《Duck on a Bike》給大家，這個故事裡的主角是一隻不自我設限的鴨子，當他嘗試騎腳踏車時，農場裡的動物都笑他：「這傢伙瘋了不成？哪有鴨子騎腳踏車的？」但事實上，鴨子的此一創舉影響了其他動物，大家都躍躍欲試，後來紛紛騎上腳踏車，玩得超開心！

3. 當你不自我設限，給自己全新的嘗試機會，你的想法和作為也會為他人帶來正面的影響，帶動更多人拋開自我設限，活得更精彩、更有力量。

   （此書有中文版，書名為《鴨子騎車記》，小魯出版。）

翻攝自：Peggy: A Brave Chicken on a Big Adventure

圖、文：Anna Walker
出版社：Scholastic Australia
出版日期：2014. 03. 04

08

Peggy

A Brave Chicken on a Big Adventure
當你對一成不變的生活感到厭倦

 聽一聽這則故事

　　Peggy 是一隻小雞，她住在郊區，開開心心過著簡單安靜規律的日子：吃早餐，在院子裡嬉戲，看看鴿子都做什麼。

　　有一天，「呼～！」一陣強風把雲朵，樹葉、細枝和……Peggy ！！！颳到了繁華的大城市。

　　但，Peggy 不慌不忙，在人群中逛起街來。Peggy 看到好多從沒見過的新鮮事物，她搭手扶梯、品嚐義大利麵、在電影院裡吃爆米花、好奇的跟隨汪汪叫的小狗、試穿美麗的鞋子、在特價商品拍賣會試穿圓點點花樣的內褲，甚至在傢俱店裡一張舒適的椅子上坐下來休息。

　　休息著，休息著～ Peggy 突然好想家！

人群中，有人手上拿著～「那幾朵向日葵跟家裡院子中的向日葵好像呀！」於是，Peggy 跟著向日葵跳上了火車，但又跟丟了向日葵……「是鴿子老朋友啊！」迷路的 Peggy 驚喜遇到鴿子們，一起安安穩穩返回溫暖的家。

　　雖然還是，天天吃早餐，天天在院子裡玩，Peggy 現在有時候也會跟著鴿子們搭火車到城市去玩樂探險噢！

It felt good to be home. Every day, rain or shine, Peggy ate breakfast, played in her yard, chatted with the pigeons and sometimes caught the train to the city.

回家真好。每天不論晴雨,佩姬都吃早餐、在院子玩耍、和鴿子聊天,有時候搭火車回到城市裡。

　　這段文字描繪小雞 Peggy 完成了城市探險後,回到溫暖可愛的家。

　　回到家的 Peggy 看似一如往昔的作息,其實內在已悄然產生變化,她會和鴿子相約到城市嘗試新事物了,這是那一場「強風探險」為 Peggy 帶來的正向改變。

 想一想繪本的內在訊息

　　我一直很喜歡澳洲繪本作家 Anna Walker(安娜 · 沃克)的畫風:溫柔、清新、可愛。這本《小雞大冒險》是其更上層樓之作,柔和沉靜的用色帶給讀者舒服的視覺享受,以一張張仿拍立得相片的方式呈現小雞 Peggy 的日常作息,而城市畫面則融合實景照片拼貼,讓城市街景鮮活逼真起來,令人驚豔。Walker 在繪畫上展現多層次的變化,也處處可見其在圖畫細節所下的用心與巧思。

當你對一成不變的作息感到厭倦，想踏出舒適的生活圈時，不妨翻開這本繪本細細品讀，或許會讓你心生對世界更大的嚮往與探索動力。穩定而可以預期的尋常日子雖令人安心，但不免少了讓自己開闊視野、與更多不同人事物相遇的機會。偶爾的出走，偶爾的跳脫，離開既有的生活軌道，讓清新的空氣洗滌我們的身心，讓新鮮的事物為我們的心靈帶來不同於日常的體會與撞擊，讓旅程中有緣照面的朋友開啟我們看世界的多元視角，充充電，在心靈重新灌滿能量與氣力後，繼續在既有的工作和家庭努力。

我很享受這樣的小出走、小旅行，有時候太忙，無法規畫長時間旅行時，我就把受邀到外地演講當作是一趟小巧的探險旅程。一走出家門或一步出校園，我就有了跳脫日常的新奇感受，帶著更細膩的好奇心沿途欣賞好風好景，感受城市的喧囂活力，或體會鄉間的純樸靜謐。而這樣的旅程中，令我最為開心的是，演講之餘，若能得空到當地書店逛逛，買幾本喜歡的書，回程高鐵上，

享受一兩個小時沉浸文字世界的樂趣，便足以讓我幸福滿溢。

不一定要選擇高難度的翻山越嶺，進入蠻荒野地或踏入無人之境，如此艱難的試煉不是一般人能力可及。我們可以依自己的狀況規劃旅程，只要這趟旅程帶我們看見更廣大的天地，見識不同的人文風景，也讓乾涸的心得到滋潤，停滯的腳步有了再度向前行走的驅力，哪怕這趟旅程只是短短半個或一個小時車程的距離，都會是一趟美好豐富的探險。只要帶著開放的胸懷，小旅程也能有大驚喜。

故事中小雞 Peggy 的探險旅程也沒有走得很遠，但處於新鮮的環境裡，只要心是敞開的、保持好奇的，就會有源源活水不斷流進心裡來。

當工作彈性疲乏、喪失衝勁，或是柴米油鹽醬醋茶的日子讓你感到乏味不堪、需要充電的時候，為自己安排一趟小旅行吧！請暫放下對工作與家庭的羈絆牽掛，將塵世紛擾暫擱一旁，還心自由，有自由開闊的心，旅程必定精采有光，並為尋常生活帶回飽滿的向前推進的力量。

看一看其他好書

此書有中譯本，書名為《小雞大冒險》，聯經出版。

翻攝自：Marvelous Cornelius

文：Phil Bildner / 圖：John Parra
出版社：Chronicle Books
出版日期：2015. 08. 04

09
Marvelous Cornelius
當你對工作提不起勁

 聽一聽這則故事

　　這本繪本以真人實事為基礎寫成，描述美國紐奧良一名名叫 Cornelius 的清道夫敬業樂群的感人事蹟。

　　Cornelius 每天清晨開工時，總是沿路熱情洋溢、親切友善的和人們打招呼、道早安，不管大朋友小朋友都好喜歡他。

　　Cornelius 享受他的工作，把街上的垃圾撿拾得乾乾淨淨，連小小的糖果紙也不放過。他帶著玩耍般的歡樂心情，以熟練、輕快之姿，像表演特技般，將一袋袋垃圾準確無誤的拋進垃圾車裡。還把垃圾桶的蓋子當鐃鈸拍擊，並玩起雜耍。人們感染了放鬆愉快的氛圍，紛紛跟著 Cornelius 同樂起來，有人演奏樂器，有人隨著音樂搖擺身體，開心極了！

然而有一天，暴風雨襲擊紐奧良，整座城市水滿為患。好不容易，大水漸漸退散，放眼望去，滿目瘡痍，垃圾山一座又一座。

　　Cornelius 面對此景，難過得流下淚來，他心想：「要將這些垃圾清理乾淨，需要好幾百萬個我啊！」但很快的，他擦乾眼淚，一如往常的賣力工作，而城裡的人們也都動了起來，一同清理家園。美國其他城市的人也大量湧進紐奧良，齊力協助災後重建，人性的光輝在此時此刻彰顯。

　　在眾人的努力下，紐奧良不久後恢復了市容，一切回歸正常生活。雖然沒過多久，Cornelius 便離開了人世，但他對工作抱持的精神與信念，永存紐奧良人心中。

讀一讀繪本原汁原味的英文

"Mornin'." He saluted the silver-haired man with the Times-Picayune tucked under his arm.
"Greetings." He waved to the couple with the baby on the balcony.
"Ma'am." He nodded to the woman shaking rugs out at her front window.

「早安。」他向手臂夾著報紙的銀髮男士敬禮。
「祝福你們。」他和陽台上抱著嬰兒的夫妻揮手。
「女士您好。」他對著在前窗撢毯子的女士點頭致意。

　　這段文字描述 Cornelius 每天一早，精神抖擻、活力滿滿的與街坊鄰居道早安。

　　一句真誠熱情的早安問候，看似再簡單不過，卻充滿溫暖的情意，足以讓人感受幸福。互道早安，就好比彼此相互祝福與打氣，彷彿在對對方說：「美好的一天即將展開，今天也要加油喔！」

　　讓我們的每一天都從一早與身邊的人說「早安」開始，把誠心的祝福傳遞出去，也歡喜的接受別人給的祝福吧！

想一想繪本的內在訊息

Cornelius 的故事令我動容,他身為一名清道夫,工作不在職業金字塔的頂端,但他並沒有看輕自己,每天用心的打掃街道,清理一般人感到惡臭髒亂、避之惟恐不及的垃圾,他的活力與熱情充滿感染力,帶動了居民的好心情,真美好,不是嗎?

Cornelius 最最讓我欣賞的是,他不只是稱職的看待自己的工作,還能發揮創意讓日復一日一成不變的工作內容變得歡樂有趣,把這份工作轉化為藝術。一個看似平凡的人,其實做著非常不平凡的事,如果這不叫做偉大,什麼才是偉大呢?

職業無貴賤,社會需要律師、法官和醫師,也需要基層工作人員的投入與奉獻。不管從事何種行業,圖溫飽之餘,若能看重自己的工作,視為付出己力、讓世界因此更好的管道,這份工作就會存在更深層的意義。

我自認也是認真看待工作的人,在教學上,我不喜歡十年如一日採用同樣的方法教著同樣的教材,我喜歡為自己的教學注入新的嘗試。這兩三年我大量使用英文繪本來輔助教學,想提升孩子學習英語的動機與興趣,獲得許多正面的回響,很感恩也很開心。但我太容易把該做、想做的事情很嚴肅的放心上,造成不少的焦慮與壓力。我要向 Cornelius 學習,以幽默化解壓在心頭的大小石頭;也要向 Cornelius 學習散播歡樂散播愛,讓周遭的人接近我時,都能感受到快樂、溫暖,讓美好的正能量由我開始,像漣漪般一圈圈向外漾開來。

你的工作帶給你的是壓力？還是成就感與意義？

願你我都能以 Cornelius 為榜樣，向他學習。小人物只要願意為這個社會盡心盡力，願意抱著利他的信念奉獻與付出，小人物也可以成為令人感佩、敬仰的大英雄。

小小的工作其實也能散播美好，只要你願意。

這本書的繪者 John Parra 曾於 2011 年與 Monica Brown 攜手創作《Waiting for the Biblioburro》一書，描繪一位圖書館館員帶著兩頭背上載滿書本的驢子，跋山涉水來到偏遠地區，為偏鄉的孩子送來寶貴的圖書資源，開啟孩子通往知識與創造的大門。這些大人們，做的也是非常有意義的事啊！從工作中找到自我定位與存在價值，並熱情投入，你將得到比付出的還要更多的美好回報。

台灣原創繪本《杯杯英雄》（道聲出版）也是以一個任勞任怨、默默付出的清道夫來重新詮釋何謂「真英雄」，很好看的故事，一併推薦給大家。

翻攝自：Cleo

文、圖：Sassafras de Bruyn
出版社：Clevis
出版日期：2016. 5. 10

10
Cleo
當你擁抱可貴的想像力

 聽一聽這則故事

　　Cleo 每天每天，被大人命令著、催促著，每天每天，過著匆匆忙忙又重複的乏味生活。她受夠了，心想：「總有一天我要離開這裡！」

　　這麼想著的同時，她彷彿聽見船帆被風吹動，發出颼颼颼的聲響──「嘿！」Cleo 發現自己乘著船，正朝向一望無際的遠方地平線航行。

　　終於，Cleo 來到了心中的完美國度──在這兒，每天清晨抬頭仰望，便可看見奇異、壯觀的天空之城；夜晚，則穿梭在奇幻的海森林間，摘取樹上的星星，這些星星帶給 Cleo 好運氣。

在海森林裡，Cleo 遇見一個男孩，兩個人很快的成為好朋友，一起探險，一起跳舞，也一同對抗猛烈的暴雨和可怖的海怪。有時候，他們也會一起說很好聽的故事，好聽到吸引海中生物前來傾聽。

累了，Cleo 便和男孩攀爬梯子，到猶如棉花般柔軟的雲上小憩，他們歡快愜意，彷彿擁有了全世界！

繪本的最後一個畫面，Cleo 回到了現實世界，而坐在 Cleo 身旁的正是那個陪她一同在想像國度裡冒險、遨遊的男孩。有朋友相伴的 Cleo，這時看起來比故事剛開始時開心許多，神情不再陰鬱，整個畫面的背景色也明亮了起來。

 讀一讀繪本原汁原味的英文

I can already hear the wind rustling in the sails.
"BYE-EEE! SEE YOU! FAREWELL! " I sail away toward
the horizon.

我彷彿已經聽到船帆在風中搖曳。
「掰！再見！再會了！」我朝海平面航行而去。

　　每天一成不變的生活讓 Cleo 厭煩透了，她想遠離現在的日
子。Cleo 開始想像自己乘著小船，揮手道別固定而無趣的生活，
往充滿無限可能的地平線方向遠航。

想一想繪本的內在訊息

　　尋常生活裡，不總是充滿新鮮趣味，也不總是幸福美好。難免會有疲累厭倦、欲振乏力、傷心失落，或諸事不順的時候。面對平凡日子的細瑣、重複與索然無味，你是否有股強烈想要逃離的渴求？去一處嚮往已久的他方？說是換個心情、重新出發也好；療癒疲憊、受創的身心也罷，只要能速速離開現況就好？

　　然而，脫離原有的生活軌道並不容易。礙於種種現實因素，我們可能無法瀟灑的想遠行就能即刻啟程。我們繼續受困於生活的囚籠中，為了養家餬口，不得不像個陀螺，沒日沒夜不停的轉啊轉；也可能因為放不下孩子，或是為了照顧年邁、生病的親人，最終仍舊選擇留在原地，要我們只因想要追尋心中夢想的天堂，而狠心將他們拋下，好難好難，我們做不到。

　　想逃又不能逃，那可怎麼辦才好？難道就這麼無奈的、沒有光彩的一天過一天，直至青春年華不再、頭髮斑白？

　　放心，不會那樣的悲哀，別忘了，就算我們的身體被困於此地，我們的腦袋裡還有「想像力」這個具有神奇魔法的東西。每天給自己一小段時間，緩緩的深呼吸，然後在腦海裡想像幾處嚮往已久的他方——也許是徜徉在綠意盎然、充滿芬多精的森林；也許是住在大海邊，無時無刻都嗅聞得到屬於那海的生猛氣息；也許正攀登高峰，在世界的頂端敞開雙臂，大聲吶喊、歡呼。讓這些美好的畫面在心中清楚浮現，能抵擋現實的貧脊荒涼，也能為心靈灌注滿滿的正能量。

平凡的生活裡，你還是能乘著想像力的翅膀飛翔。

這樣的想像，是一種療癒，是一種靜心練習，有其意義與價值，絕對不是對真實生活的逃避。

你也許會說：「我理性久了，思想僵化了，早失去了小孩兒時期豐富的創造力，不知如何悠游在想像裡？」那麼，是不是願意接受我的邀請，進來充滿精彩想像的繪本世界裡？且讓繪本帶領你歡喜遨遊在開闊的奇思幻想中，打開你的童心和創意無邊的想像力，也療癒生活中遭逢的不如意。

別以為字少圖多的繪本是專屬幼小孩童的讀物，大人看繪本也能從中受益。我自己就時常在繪本閱讀裡得到撫慰，並大大開啟了失落已久的想像力。像是閱讀這本繪本，就讓我有機會跟著 Cleo 一起在她的想像世界裡穿梭來去。我愛極了作者 Sassafras De Bruyn 為 Cleo 所創造的他方，如此如夢似幻、迷人美麗，讓我沉醉在動人的畫面裡。

想像力是一份可貴的禮物，當我們擁抱它，生活將不再淡然無味、呆板無趣；擁有了想像力，我們便持有一把通往美麗新天地的鑰匙，世界再大，都沒有想像力來得大。想像的國度裡，有宜人的桃花源，有撫慰人心的避風港，也有可以增強我們身心能量的補給站。想像力可以載我們到很遠很遠的地方，足以抵抗世間的殘酷、冰冷與風霜。想像力不是痴人做著不切實際的白日夢，而是創造豐厚生命的秘密武器。

把你想在實際生活裡創造的東西，先大膽的運用想像力在心裡清晰的勾勒出來吧！也許哪一天你真能嘗到心想事成的甘美！

 看一看其他好書

　　繪本裡關於想像力馳騁的故事太多太多啦！再推薦一本我的心頭好書給大家，書名是《Beyond the Pond》，描述在一個窮極無聊的日子裡，小男孩決定潛入池塘探索未知的境地，而這次神秘而奇妙的發現歷程，從此改變了他看待周遭平凡事物的眼光。

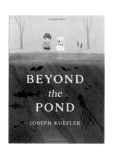

第三帖藥方

38.5 度以上服用紅包：自信與微笑

翻攝自：Bob the Artist

文‧圖：Deuchars, Marion
出版社：Laurence King Pub
出版日期：2016. 04. 26

11
Bob the Artist
當你對自己失去信心

聽一聽這則故事

Bob 是一隻鳥，牠原本不覺得自己那雙瘦瘦、細長的腳有什麼不好，直到有一天外出散步時，發現大家竟然投來異樣的眼光，並嘲笑牠瘦弱的雙腿，這讓 Bob 非常傷心。

於是 Bob 擬訂了自我改造計畫，想藉由運動，讓自己的雙腿變大、變壯，但令人沮喪的是，這並沒有成功；後來 Bob 又執行了 B 計畫——努力增肥，拚命一直吃一直吃，但依舊徒勞無功。好吧！於是 Bob 開始血拼置裝，穿搭各式各樣的服裝，企圖遮掩瘦巴巴的雙腿，但試來試去怎麼看只覺得自己很可笑。

後來 Bob 出門，走啊走，遇見一間美術館。Bob 看著館內展覽的畫作，靈機一動，受到了啟發！牠回家拿出所有的繪畫顏料，開始在自己的鳥嘴上塗抹色彩。星期一，牠模仿法國畫家馬

第三帖藥方

38.5 度以上服用紅包：自信與微笑

諦斯的畫風，星期二，則學美國畫家傑克遜・波洛克的藝術展現。每天牠都在自己的嘴上大做文章，呈現截然不同的設計風貌。以前嘲笑 Bob 雙腿瘦弱的動物們，現在看到 Bob 豐富多變的「鳥嘴畫」，不禁讚歎連連，莫不對牠投以崇拜的眼神，Bob 在牠們心目中的形象已完全翻轉，而 Bob 再也不擔心牠那雙瘦弱細長的腿了，事實上，牠還非常以牠的腿為榮呢！

　　有時候，Bob 更喜歡嘴上什麼都不畫，就只是很單純的露出牠原本紅顏色的嘴巴。這時候大家會不會又把關注焦點放在牠那雙瘦弱的腿上？別擔心，Bob 現在渾身上下散發著自信迷人的風采，就算不在嘴上做文章，大家還是對牠欣賞得不得了，連牠用牠那從頭到尾都沒有變大、變壯的細長雙腿走路，大家都覺得好高貴、好優雅呢！

"Bob loves showing off his wonderful beak designs.
He doesn't worry about his skinny legs any more.
In fact, he is now rather proud of them!"

Bob 喜歡展現他美麗的鳥喙設計。
他不再在意他瘦巴巴的腿了。
事實上,他現在引以為傲呢!

　　Bob 彩繪自己的鳥嘴這個創意,得到大家的讚賞與肯定,也重拾了對自我的信心,連帶的不再抱持負面態度來看待自己瘦弱的雙腿。身為讀者的我們替牠開心之餘,也得到一個很棒的啟發:不要把關注焦點一直放在自身的缺點與弱項上,這只會讓自己老是感到自卑、不如人。去尋找自己的強項吧,去發揮自己的長處吧!我們將從中獲得堅定的自信,並找到自己存在於世的價值。

學習對自己充滿信心。

　　鮮少人能遺世而獨居，群居的我們，總或多或少會面臨一些人際上的問題。像故事中的 Bob 便遭人嘲笑腿長得太細小，連出門散個步，都得承受他人異樣的眼光與閒言閒語。我們控制不了別人的腦袋和嘴巴，別人的腦袋要怎麼想，嘴巴要怎麼說，我們無力干預。但面對他人的批評或嘲諷，我們卻可以決定自己的心要如何應對。是要被人言所傷，信心潰堤；還是決心不把這些負面評語放心上，影響自己的情緒？我們的心念，至關重要。樂觀的想法讓我們釋懷他人不友善的對待，悲觀的想法則讓自己的心境彷若處於地獄。

　　Bob 可取之處在於，牠遭受批評後，並沒有把自己封閉起來，足不出戶。牠很積極的想方設法鍛鍊雙腿，雖然牠會這麼做，是出於在乎他人的目光，但至少牠的態度是積極的、不逃避的。而更教人欣喜的是，當 Bob 藉由「鳥嘴畫」展現無可取代的獨特性時，也就重拾了自信。牠不再看輕自己，舉手投足間，流露出令人著迷的魅力；這股魅力源自於牠對自我堅不可摧的信心，自信讓牠縱使用那雙瘦弱的腿走路，依舊展露引人注目的神采。

　　當你失去對自己的信心時，不妨學習 Bob 的做法：不斷針對自己的弱點做補強，成效也許極其有限，但若鎖定自己的長處與強項去發揮，會更為容易上手並嶄露頭角。當你的強項得到發

揮、受到肯定與矚目，你對自己的信心便會與日俱增。而當你對自己深具信心時，他人對你的評斷與閒話，殺傷力就會薄弱許多，因為這時的你深知自己存在的意義，知道什麼對自己來說才是重要的，三姑六婆的說三道四算什麼，就讓它隨風消逝吧！

看一看其他好書或電影

1. 如果你喜歡這位作家，她還有許多關於插畫的著作，如：《跟最厲害的現代藝術家學畫畫：18位大師的40招獨門技法，最頂尖的設計、時尚、電影養分，都來自這！》（原點出版）、《草地上的畫畫趴，這樣畫，有意思！：用畫板取代平板，18個主題，大家一起畫，你的畫就是餐墊！》（原點出版）、《又印又畫，英式插畫，這樣玩：英式創意的第一課，畫畫超享受，創意是王道的45個練習》（原點出版）。

2. 關於「自信心」議題，也可以參考以下繪本：
   · 《The Queen with the Wobbly Bottom》，作者／Phillip Gwynne & Bruce Whatley。（此繪本有中譯版，書名為《大屁股女王》，東方出版。）
   · 《Lucy's Light》，作者／Margarita del Mazo & Silvia Alvarez。這個故事提醒我們：不要貶低自己，也不要小看我們可以給這個世界的光亮。

3. 如果你還想看部電影，《四眼天雞》（迪士尼）這部電影也聊到了「自信心」的議題。

翻攝自：Augustus and His Smile

文．圖：Catherine Rayner
出版社：Little Tiger Press / Tiger Tales
出版日期：2006 / 2016. 03. 01

12
Augustus and His Smile
當你丟失了你的微笑

 聽一聽這則故事

　　老虎 Augustus 傷心著，因為他把他的微笑弄丟了，所以 Augustus 伸了一個巨大的老虎懶腰後，決定出發去外頭找回他的微笑。

　　可是，不管 Augustus 爬到最高聳大樹的頂端，或是登上最高的山頭，或是潛入海洋最深處，穿越最廣大無垠的沙漠，他就是找不到他遺落的微笑。直到天空滴答啪啦下起雨，Augustus 在雨中跳躍、奔跑，他從水窪踩出一個比一個更大的水花，然後，Augustus 在一個大大的水窪裡看見了自己的微笑！

　　這時候，Augustus 突然明白，原來，當他開心的時候，微笑就會在。只要他去和魚兒們打水、游泳，只要他在水窪裡跳舞，只要他上山俯瞰世界，快樂就會圍繞在他身邊。

讀一讀繪本原汁原味的英文

"He only had to swim with the fish or dance in the puddles, or climb the mountains and look at the world for happiness was everywhere around him."

他只需要和魚一起游泳、在水窪裡跳舞，或是爬上山看看這個世界，因為快樂就在他的身邊。

　　當你弄丟你的微笑時，學學故事裡的 Augustus 吧！走向大自然，讓大自然的神奇魔力療癒你。到海邊走一走，追逐浪花，或登上高山鳥瞰一望無際的開闊，或在雨天像個孩子般張口讓雨水滴進嘴巴裡，或試試在雨中歡樂高唱，然後，不必在意他人異樣眼光，大力踩跳水窪吧，你會發現，遺落的微笑又出現了，而且這次出現的是讓你感到超級幸福滿足的大微笑。

想一想繪本的內在訊息

　　當你心情不怎麼美麗，你會選擇什麼方式讓自己開心？聽音樂、看電影、看書報雜誌、運動流汗、逛街購物、爬山、還是找朋友相聚開懷暢飲？

　　當我心情低落、丟失了我的微笑時，我會省察我的內心，問自己：「為什麼不開心？」如果是與人相處有所摩擦，錯在我，我會誠心低頭表達歉意；倘若錯不在我，我會進行內觀與調息，以撫平心頭的不平靜，轉念要自己放下罣礙、憂心。如果是工作擔子沉重，疲累到失去微笑的能力，我會在繁忙中調整自己的步伐和節奏，以閱讀、散步、放空等方式，讓自己的生活盡可能在一張一弛中優雅從容的向前挺進。如果是因為容易操煩的個性，讓自己陷入胡思亂想、焦慮不安的狀態時，我會轉移注意力，或是做些勞動身體的事，或是和孩子共讀趣味讀物，或是去公園運動紓壓，就是盡量不要讓自己耽溺在庸人自擾的情緒裡難以自拔。有些事真的多想無益，就算想破頭也還是難解習題，那何苦為難自己，乾脆索性別想也別煩了，還自己平靜吧！

　　心情不好時，我愛走向大自然，尋求大自然療癒身心。慶幸住家附近就有座大公園，清晨或傍晚，我會到公園走路運動，每跨出一步，我便在心裡默念佛號，安頓自己雜亂的心緒。只要在自然中大口大口呼吸，享受微風吹拂，仰望天空蔚藍，傾聽鳥兒鳴唱，嗅聞草地的清新與花朵的芬芳，就能讓我不自覺的嘴角上揚，開心微笑。這才讓我知曉，雖然自己熱愛城市、崇尚文明，

你多久沒有踩踩水窪？享受童年與自然的接觸？

但內心其實一直有著對自然的嚮往與渴求，在自然的懷抱裡，我感到舒適、安心、喜樂與平靜，那是一種回家的感覺。

親愛的你，處於複雜詭譎、人心叵測、快速變動的世界裡，我們偶爾都會受挫洩氣，忘記如何微笑，但只要我們始終抱持對生命美好的想望與對世間熱忱的盼望，我們的臉上終會再度綻放可愛開朗的微笑，屆時請一定一定要記得將這微笑的超強感染力傳遞給更多更多與我們相遇的人，讓世上少一點憂苦，多一些歡樂喜悅。

文末，我想回來說說這個故事的主角。作者 Catherine Rayner 安排故事的主角為一隻老虎（這本書的最後，指出 Augustus 是一隻西伯利亞虎），我想有其用意，老虎 Augustus 遺落了他的微笑，是不是因為人類對生態的破壞與對老虎的捕殺，導致野生老虎數量急遽下降，棲息地也大幅縮小之故？人類渴望微笑過日，他種動物何嘗不是？人類該如何做，以彌補長久以來對他種動物微笑的剝奪，是我們當今需要嚴肅思考並解決的大事。

看一看其他好書

當你心情好糟好糟，想笑也笑不出來時，下面這本可愛的繪本也可以讀讀！故事裡的企鵝這天心情糟透了，從他頭上戴的帽子到腳上穿的襪子，全都處在不開心的情緒中，不管他做什麼，就是沒法子甩掉這亂糟糟的心情！最後企鵝是怎麼讓自己心情變好、並懷抱著對明天的期待安然入夢鄉呢？想知道的話，來看看這本書吧！

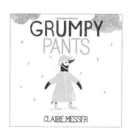

摘录自｜The Lion Inside

文：Rachel Bright／图：Jim Field
出版社：Orchard Books
出版日期：2016.05.31

13
The Lion Inside
當你感到怯懦、恐懼

聽一聽這則故事內容

　　一塊古老、陡峭的岩石下，有著一間很小很小的房子，房子裡住著一隻最小、最安靜、最溫順的老鼠。牠小到從來沒被注意過，如此的不起眼，不是被一腳踩到，就是被一屁股坐到，小老鼠不禁感嘆：小小老鼠真命苦啊！

　　而同一塊岩石上，盤踞著一頭威武勇猛的大獅子，獅子只要張大嘴一吼，就能震懾所有動物。牠喜歡向大家證明自己有多強壯，輕輕鬆鬆就可以高高舉起一頭犀牛。動物們無不對牠抱以崇拜的眼神，心想：「如果可以像大獅子一樣威風八面該有多好啊！」

　　有天深夜裡，小老鼠突然從床上跳了起來！牠想到了！原來牠需要的是像獅子般的吼叫聲！小老鼠心想：「如果我可以少點懦弱，多幾聲吼叫，雖然還是最小隻最小隻的老鼠，但應該就交得到朋友。」

　　小老鼠下定決心要學會吼叫，而這，只有那頭英勇的獅子有本事教牠。可是去找獅子，會不會自投羅網、被獅子給吃下肚？幾經思索，小老鼠還是鼓起十足的勇氣，對自己喊話：「如果想要事情有所改變，首先必須做的就是改變你自己。」

　　牠慢慢爬向那塊陡峭岩石的頂端，結結巴巴的對睡夢中的獅子說：「獅子先生，醒一醒，我來找您是為了……您可以教我如何吼叫嗎？」

　　獅子聽到小老鼠的聲音，醒了過來，牠睜開雙眼，發現面前赫然出現一隻小老鼠，嚇得大聲尖叫，全身顫抖，抽抽噎噎的說：「不要傷害我！」天哪，原來這頭看似威風凜凜的獅子怕死老鼠了！

　　小老鼠安撫獅子：「別擔心，我是朋友，不是敵人，我們會相處得很愉快的。」

　　這時候，小老鼠突然一點兒也不覺得自己渺小了，原來真實、誠懇的說出心中的話就好，不需要故意壯大聲勢對人吼叫。

　　從此，大獅子和小老鼠成為最要好的朋友，小老鼠雖然體型還是好小好小，但牠內心感受到自己的巨大。而獅子呢？牠現在再也不會動不動就發出兇猛、嚇唬人的吼叫聲，取而代之的是一陣陣哈哈哈哈的爽朗笑聲。

　　老鼠和獅子都領略到一件事，不管外型是大是小，我們的內心皆同時存在著一頭大獅子和一隻小老鼠。

 讀讀繪本原汁原味的英文

It felt like the scariest thing he could do...
But if you want things to change, you first have to
change YOU.

他覺得這是他做過最恐怖的事了……
但如果你想要事情有所改變，首先你必須改變自己。

　　這段文字是描述小老鼠下定決心去找大獅子，準備請教大獅
子如何吼叫時，對自己的心裡喊話。當面對最深沉的恐懼，想要
事情有所轉機，我們只有改變自己、迎向前去，別無他法。唯有
鼓起勇氣面對恐懼，恐懼的魔咒才可能解除，否則我們將永遠活
在恐懼的深淵裡。

當你內心感到怯懦、恐懼時，來看看這本書吧！你以為的強者，其實內心也有害怕的人事物，就像故事裡受眾動物們仰慕的獅子，也非天不怕地不怕呀，只是這些強者把心中的害怕隱藏得讓我們看不見而已。

　　任何人的心裡或多或少都存在著恐懼，只是每個人恐懼的對象或有不同。有人恐懼青春消逝、美顏不再，有人恐懼愛情不久長、終究煙消雲散，有人恐懼無人賞識、事業難成就，有人恐懼孩子學壞、不成材，有人恐懼年老體衰、死神一步步逼近，有人恐懼人生無常、親愛家人永久離開。

　　面對生命中這麼多的怯懦與恐懼，我們要學習的是接納，不是一味躲避；越是躲避，懼怕越是緊追在我們身後，讓我們心神大亂。試著迎向那懼怕，如同小老鼠勇敢的邁出步伐，迎向獅子般，去看清楚自己到底懼怕的是什麼。常常一旦我們選擇勇敢面對，那懼怕就會瞬間失去威力、縮小到微不足道。不信的話，你試試看！

　　就像故事中的獅子與老鼠最終領悟到：「原來，這世上沒有絕對的強者，也沒有絕對的弱者，我們每個人心中皆同時存在著代表力量與自信的大獅子和代表膽小懦弱的小老鼠。」當心頭那隻小老鼠佔據你的心，告訴你你就是一無是處、毫無本事的傢伙，你這輩子就是注定過著平凡無奇、不受注意與祝福的人生時，千萬別輕易聽信心中小老鼠如是負面的暗示。親愛的你，不要妄自菲薄，老是看輕自己。也不要羨慕他人，想改造自己成為他人的

你也需要和綠野仙蹤裡的獅子一樣，尋找勇氣嗎？

模樣。請讓心頭的大獅子有機會走出來，展現牠充滿自信的迷人神采。你一定要相信，我們來到世上，都是獨一無二的寶貝，都有我們各自的優勢、長才與亮點，試著找出它們，奮力活出這一生的美好與精采，好嗎？

看一看其他好書

你是否感覺這個故事有那麼一點伊索寓言〈獅子與老鼠〉的味道？不妨再找找以下兩本〈獅子與老鼠〉故事改編版來看看！

《The Lion & the Mouse》

另外關於克服恐懼的繪本，也推薦 Anthony Browne 的《Willy and the Cloud》，Anthony Browne 透過故事告訴我們，想要擺脫恐懼，不是千方百計的躲避它，唯一能做的，就只有正視它、面對它。（此書有中文版，書名為《威利和一朵雲》，遠流出版。）

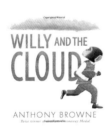

關於恐懼，還有一本繪本要推薦給大家，書名為《Little Frog and the Scary Autumn Thing》，這個故事告訴我們不要對全新的事物感到懼怕，全新的事物其實並不恐怖，只是因為它對我們來說是新的，我們有陌生感，才會對它感到恐懼。提起勇氣迎向全新的事物，你會發現，當對全新的事物越來越熟悉，就會感受到它的可愛美好，它一點都不可怕。

翻攝自：A Bad Case of Stripes

文、圖：David Shannon
出版社：Scholastic
出版日期：2004. 06. 01

14
A Bad Case of Stripes
當你擔心別人的眼光

 聽一聽這則故事內容

Camilla 喜歡吃青豆，但從來不吃青豆。

「什麼鬼？！」你一定想不通：「喜歡吃？卻又從來不吃？」原來是因為，Camilla 所有的朋友都討厭青豆，她害怕和大家不一樣，她太在意別人的眼光了，所以不敢讓人知道她喜歡青豆。

今天開學了，Camilla 想給大家一個好印象，她試了又試，總共換了四十二套衣服，就是無法決定要穿哪一件去學校。突然，Camilla 看著鏡子中的自己，她尖叫：「啊！！」Camilla 竟然全身上下都布滿了彩虹條紋？！

班上同學們發現了 Camilla 的驚人變化，開始叫啊鬧啊瞎起鬨，Camilla 的皮膚也隨著不斷轉變成不同的顏色與圖案，剛剛是美國國旗圖樣，現在又變成紫色圓點點，一會兒又成了棋盤方格。

　　Camilla 的校長請她留在家裡，不要來上學，因為 Camilla 現在這個樣子讓同學無法專心上課，也有不少家長擔心 Camilla 身上的條紋啊圖案什麼的會傳染。Camilla 很傷心，因為這個怪病，大家都不想跟她當好朋友了。

　　醫師和學者專家們都對這怪病束手無策，而且還害得 Camilla 的身體越變越怪，最後，Camilla 的爸媽進了房間後一看驚呼：「天哪！！」Camilla 甚至還和她的房間融為一體了——她的床變成她的嘴巴，櫃子成了她的鼻子，掛在牆上的兩幅油畫則是 Camilla 的雙眼。這下可怎麼辦好呀？！！ Camilla 的媽媽傷心的啜泣起來。

　　「叩！叩！叩！」有位老太太登門拜訪，說她也許幫得上忙。老太太從包包裡拿出一袋青豆，問 Camilla 想不想吃。Camilla 一開始不敢承認其實很想吃，但眼見老太太轉身就要離開了，她心想：「被大家知道我愛吃青豆也沒什麼大不了，就算被嘲笑，也不會比全身都是奇怪的條紋還慘啊！」於是，Camilla 大喊：「等一等！！」她告訴老太太，其實她非常非常喜歡吃青豆，老太太笑了，將一大把青豆倒進變成了床的 Camilla 的嘴裡。奇妙的事發生了！Camilla 瞬間康復了，她恢復成原樣，一切回歸正常。

　　之後，Camilla 變了。她不再隱瞞她對青豆的愛，別人說她怪，她也不在乎，她就是要做她自己。條紋事件至此落幕，Camilla 身上再也沒出現過任何條紋。

📖 讀讀繪本原汁原味的英文

Camilla Cream loved lima beans. But she never ate them. All of her friends hated lima beans, and she wanted to fit in. Camilla was always worried about what other people thought of her.

Camilla 喜歡青豆，但她從來不吃。因為她所有的朋友都不喜歡青豆，她想要融入她的同儕。Camilla 總是在意別人對她的想法。

　　你像 Camilla 這樣時時擔心別人怎麼看待你嗎？你會因為周遭沒有人喜歡某一樣東西，便拚命隱藏你對那樣東西的喜歡嗎？人是群居動物，要我們完全不在意他人眼光，我行我素的過活，是非常困難的。然而，我們可以告訴自己不用過分在乎他人評價，只要行事正當，仰不愧於天，俯不怍於人，就不必擔憂有那麼一點與眾不同的怪，畢竟這個世界就是要有不同的人呈現不同的怪，才會顯得迷人、精彩、有意思啊！

我從小就是個乖乖牌，聽話、順從、循規蹈矩，總期盼能在他人心中留有好印象，也非常在乎他人對我的評價與觀感。以前，我把快樂建立在別人對我的讚美、肯定和賞識上，想做父母眼中乖巧孝順的女兒，想做校長、家長和學生眼中用心教學的好老師，我就像故事裡的女孩 Camilla，時常在意外界對我的看法，試圖迎合他人，盡力符合他人的請求與期待，弄得自己好累好累，活得不夠放鬆，也不夠自由自在。

　　繪本創作家 David Shannon 用一個誇張、具有強大戲劇張力的故事，帶領讀者反思自身：「我們是不是也如故事裡的 Camilla，害怕展現與人不同之處？擔心自己的『怪』，會被投以異樣眼光或是遭到眾人訕笑？」

　　人言：「年輕就是本錢。」的確，年輕有年輕的優勢，有大把大把的時間與正值顛峰的身體狀態。然而，年過四十的我，並不想重返青春。你可能要問：「為什麼？如果真能重返青春，那該多好？有年輕的容貌，人生也充滿無限的可能，『青春』就是『希望』和『美好』的代名詞啊！」

　　沒錯，青春時光令人想念，但我更愛不惑之年，因為年輕時我過度在意別人的眼光，成了煩惱與壓力的主要來源。然而，隨著人生閱歷的積累，慢慢的，很多以前在乎或罣礙的事，逐漸看淡了、沒那麼掛心了。這是歲月帶來的珍貴禮物，年紀越長越明白：

男孩不能從是他喜歡的工作職業嗎？不必在意別人的眼光，活出自己吧！

女孩不能做自己喜歡的事嗎？
我們不需要標籤、不需要符合
別人的期待！

「人生不過區區數十載，那麼在意別人的閒言閒語做什麼？他人要怎麼看我、怎麼說我，我無法掌控也無須掌控，我有我的喜好和行事風格，只要我行得正，不虧欠誰，那快樂無須建立在別人的認同上，活得自在開心最重要！」

不敢說已練就到凡事皆可雲淡風輕的看待，我還是常有起煩惱心的時候。但學習放下對他人眼光的擔憂，讓我真的比年輕時活得更具自信，也更輕鬆快樂。但這條心靈修練之路才剛起步呢！我身上還是背負著不少其實沒有必要背負的包袱，希望自己可以逐漸將這些包袱一件一件丟棄，心靈越來越清明、輕盈，有一天終可來到「無入而不自得」的境地。

此書有中文版，書名為《條紋事件 糟糕啦！》，小魯出版。
另有一本日系繪本，書名為《如果我喜歡的和大家都不一樣……》
（大穎出版），談的也是類似的主題。故事裡的小女孩里穗非常
喜歡吃小魚乾，可是當她告訴班上小朋友她要帶小魚乾便當去郊
遊時，大家都嚇一大跳，用異樣的眼神看著她，覺得她實在太奇
怪了。被當作是異類的里穗，心裡承受不小的壓力，她還會帶小
魚乾去郊遊嗎？還是會因為害怕和別人不一樣，而不敢忠於自己
的喜好呢？

第四帖藥方

咳嗽糖漿：人生，沒有理所當然的事

翻攝自：Tough Guys (Have Feelings Too)

文‧圖：Keith Negley
出版社：Flying Eye Books
出版日期：2015. 11. 03

15
Tough Guys
(Have Feelings Too)
當你看見男人或男孩流淚

聽一聽這則故事

　　當個鐵漢可不容易啊！一般人眼中的硬漢或勇士：摔角選手、太空人、忍者、超人、船長和賽車手……等等，即便是與最要好的朋友在一起，即便來到了世界的頂端，也並非能事事順遂。不管身體多強壯、行動多勇敢敏捷，任憑你再怎麼堅強，只要身而為人，就會有情緒在心頭起伏、翻攪波動的不安，就會有軟弱襲捲而來的一刻。當悲傷、恐懼、焦慮或失落時，無須壓抑，也無須佯裝瀟灑堅強，把這些情緒釋放出來吧！說予人聽，讓別人有機會愛你、關心你，你也將從中得到重新出發的力量。

　　這本繪本故事性不強，作者 Keith Negley 透過簡潔的文字與設計感強烈的插畫，顛覆「男兒有淚不輕彈」的刻板想法。

繪本的最後，是一對父子相互依偎，爸爸溫柔摟著兒子的肩膀，陪兒子共讀。我想，作者是藉由這個畫面以及書本前後蝴蝶頁父子互動的小插圖，想傳達一個暖爸的心裡話：「兒子，你愛扮演摔角選手、超人、忍者和賽車手，你愛表現得自己就像這些人一樣強大、勇敢，想怎麼樣都可以噢，但當你軟弱的時候，哭泣沒有關係，爸爸的肩膀讓你依靠，爸爸的胸膛就是你的避風港，爸爸會陪伴你、支持你、安慰你，你擁有爸爸無止盡的愛。」

　　真好，不是嗎？身為男孩，被爸爸無條件包容守護著，多溫暖多幸福！以前的社會賦予男人保家衛國的重責大任，要男人展現剛強堅毅的一面，不許動不動就情緒滿溢，就流淚。男性的情緒長期被壓抑在心底深處，沒有適度的排解、宣洩，日積月累，定會對身心健康造成負面影響。

 讀一讀繪本原汁原味的英文

It's not always easy being a tough guy…You might not think it, but tough guys have feelings too.

當個鐵漢總是那麼不容易……你可能不這麼認為，但其實鐵漢也有柔情。

　　是啊，當個鐵漢不容易，剛毅強悍的外表下可能有顆易感的心。你能看見鐵漢脆弱、柔情的一面嗎？當看見鐵漢流淚，請拍拍他、抱抱他，給他支持的力量，他又會是好漢一條。

「男兒有淚不輕彈」的想法早該翻轉了！誰說男孩不許哭？誰說男人不許在人前表達脆弱？傳統價值觀給予男性太多綑綁與束縛，讓男性不願也不敢表露內心戲，久而久之，許多男性遺忘且喪失了感受力與表達力，令人遺憾心疼。

兒子今年九歲，大人眼裡的芝麻小事，可能都會引發他的嚎啕大哭。外婆聽到哭聲，常會斥責他：「把眼淚收起來，不要浪費眼淚。你是男生，男生不可以這麼愛哭！」身為媽媽，有時候我也會請孩子收起眼淚，但不是基於兒子是男孩的緣故，而是希望孩子不要把哭泣當作是一種達到目的的手段，用哭泣來要脅大人妥協。如果兒子哭泣不是吵著要大人買什麼東西，或是什麼其他要求，而是出於真有傷心難過的情緒需要宣洩，這樣的哭泣有何不可？為何要禁止？我們希望養出堅強勇敢的男孩，期望男孩長成男人時，可以給人厚實的肩膀依靠，這很好，但別忘了，當男孩悲傷流淚時，我們允許他展現脆弱，也願意真誠接納、撫慰他的脆弱，待他生命裡堅實的力量生成時，不僅可以更堅強勇敢，也將因他曾被溫暖的對待過，而知道如何溫暖待人、如何去安慰他人的傷，養出這麼一個善體人意的暖男，豈不更美好？

這世界也許不缺剛強的硬漢，但缺乏內在有著溫柔質地的暖男。請珍惜並善解身旁硬漢流下的淚水，我們對硬漢軟弱面的接納包容，將會讓我們看見硬漢堅毅的外表下深藏的暖男柔情。

1. 此繪本有中譯版，書名為《鐵漢（也有情感）》，新雅出版。

2. 繪本作家 Christopher Silas Neal 的作品《Everyone》也著
   重在情緒描繪，文裡提到每個人都有想大笑、想流淚的時候，
   有時心情好、有時心情壞，這沒有什麼關係，因為每個人都
   是一樣的。

翻攝自：Caterpillar Dreams

文：Jeanne Willis ／ 圖：Tony Ross
出版社：Andersen Press
出版日期：2012. 08. 06

16
Caterpillar Dreams
當你無法成為你所夢想的

 聽一聽這則故事

　　有兩隻毛毛蟲，牠們感情非常要好，情同姊妹。一塊兒長大，一塊兒夢想將來要一起成為翩翩飛舞的美麗蝴蝶。

　　一天天過去，兩隻毛毛蟲結成了蛹。牠們想：「等一覺醒來，我們的夢想就會實現了。」

　　然而，上天自有安排，老天爺的旨意和這兩隻毛毛蟲的夢想並不一樣。當太陽升起，其中一隻毛毛蟲先行破繭而出，成為蝴蝶。牠想：「我的好朋友也該變成蝴蝶了吧！」但形單影隻的牠，在天空飛來飛去，卻怎麼找也找不到牠的毛毛蟲朋友。

　　夜晚降臨，夜鶯的歌聲是最優美的催眠曲，蝴蝶進入了夢鄉。在夢裡，蝴蝶看見牠的朋友被貓頭鷹喚醒，沐浴在月光下，飛翔

在宇宙天地間。

在黑夜與白天交界的破曉時刻，這兩個好朋友相遇了，一隻是飛蛾，一隻是蝴蝶。雖然擁抱不相同的夢，卻有著同樣的美。

我們不可能都變成蝴蝶，這世界也需要飛蛾，就如同這世界需要太陽，也需要月亮啊。

 讀一讀繪本原汁原味的英文

One was a moth and one was a butterfly. Different dreams, but just as beautiful.

一隻是蛾，一隻是蝴蝶。擁有不同的夢想，但一樣美麗。

　　兩隻夢想著一起長成蝴蝶的毛毛蟲，並沒有如願。一隻成了蝴蝶，另一隻則蛻變為飛蛾，雖然自此展開不同的生命旅程，但同樣擁有美好的丰采與身影。

　　親愛的，如果成為蝴蝶曾經是你的夢想，卻無法實現，請收起你的眼淚，不要傷心。每個生命體都是獨一無二的存在，不能成為蝴蝶不是你的失敗，你有著屬於自己的重要天命與獨特價值，你擁有和蝴蝶一樣的美麗。

想一想繪本的內在訊息

你是否曾經好崇拜、好欣賞一個人，好想努力追上那個人的腳步、成為那個人的模樣，卻怎麼使勁也追不到、學不像？或者，你是否有深深嚮往的遠方、有熱切希冀抵達的地方，然而耗費了許多時間與氣力，卻彷彿仍在原地踏步，怎麼樣就是走不到心底盼望的那個境界、那個夢想？

我也有過類似的心境啊！我有幾位非常喜歡、傾慕的作家，他們一向是眾所矚目的焦點，每一次發言、每一篇文章總能得到廣大的支持與回響，他們的專業素養、引人入勝的好文筆、全身散發的迷人神采，都讓我既崇拜亦羨慕不已。如他們般，成為一個對讀者有正面、廣大影響力的寫作者，是我一直以來放在心上的夢想，我努力朝這個方向前進，但總感力有未逮。我欣賞的作家們啊，走在離我好遠好遠的前方，我不免洩氣、沮喪，原來這就是人生真實的樣貌，不是認真用心、勤奮不懈，便能成就心中美麗的想望。

我對自己說，如果天生不是一隻蝴蝶，卻拚命想成為一隻蝴蝶，會過得很累、很不快樂，會永遠處在追求一個不可能成真的虛妄夢境裡，無法活出真實而開心的自己。

後來，轉念這樣想，不是蝴蝶又何妨，當隻在星空、月光下穿梭的飛蛾不也挺好？重點是要清楚自己的能力在哪裡、優勢在哪裡、天賦與使命在哪裡？認清了這些，才有機會活出精采自在、

雖然不是叱吒職場的女強人，但媽媽是孩子心中的女超人！

而又不那麼費力的人生，才能夠不再置身於顛倒夢想中，一心只想擁有他人的姿態與狀貌。

　　喜歡寫作的我，還是繼續在書寫裡表達自己，也把寫作當成是療癒自己的一個心理歷程，但我不再想著要成為一位大咖的暢銷作家。每個人在這個世上各有各的存在位置，小人物也有小人物的價值與貢獻。就如這個故事所說，這世界需要蝴蝶，也需要飛蛾，就好比這世界同時需要太陽與月亮。不管是蝴蝶或飛蛾，太陽或月亮，其美麗的程度不分軒輊，何苦相互比較？我就好好在自己的位置上付出小小心意，用我樸實真誠的文字寫下對天地萬物的感謝與愛，若是有幸得到小眾讀者朋友們的喜歡與青睞，我會十分感恩這一切美好的回報。

《Caterpillar Dreams》這本繪本的文字作者 Jeanne Willis 和插畫作者 Tony Ross 有多次的合作，他們的另一本繪本《Tadpole's Promise》也為人津津樂道，這個故事描述蝌蚪與毛毛蟲彼此許下諾言，答應對方此情永不渝。然而當蝌蚪變成青蛙，毛毛蟲變成蝴蝶之後，牠們還會認得彼此嗎？牠們的愛情能夠經得起考驗嗎？這本繪本大人讀來感受會比小孩深刻許多，是關於愛情的殘酷面啊！（此書有中譯本，書名為《蝌蚪的諾言》，玉山社出版。）

翻譯自：Charlotte's Piggy Bank

文‧圖：David McKee
出版社：Andersen Press
出版日期：2004.02.25

17
Charlotte's Piggy Bank
當你想知道關於人生的真相

 聽一聽這則故事

　　小女孩 Charlotte 得到一個小豬撲滿，她不怎麼喜歡這個禮物，不過這可不是普通的小豬撲滿喔！這個小豬撲滿會說話呢！小豬撲滿對 Charlotte 說：「如果妳在我身體裡存夠了錢，就可以實現一個願望。」、「當存的錢夠多時，妳會聽到我發出『叮！』的一聲。」Charlotte 回應：「我可能需要存上一輩子。」小豬說：「人生本來就不容易啊！」

　　Charlotte 開始努力存錢。爸爸媽媽給她的銅板，她都投入小豬撲滿裡。幫左鄰右舍一些小忙打工賺到的工資，也都存了進去。她還把不要的玩具拿到街上擺攤，賺到更多的錢。

　　「叮！」有一天，她終於聽到小豬撲滿發出那美妙的聲音。

137

Charlotte 超激動：「耶！我可以實現一個願望了！」

小豬說：「我真開心妳許了這個願望。」

Charlotte 納悶的問：「我許了什麼願？」

小豬答：「你剛剛說妳希望我是一隻飛天豬。」

Charlotte 很訝異：「我從沒這樣說。」

小豬問：「從沒說什麼？」

Charlotte 不疑有他的脫口說出：「我希望你是飛天豬。」

小豬說：「這就對了。」接著，小豬越變越大，越變越大，還多了對翅膀。

Charlotte 憤怒抗議：「不公平，你耍我。我的願望在哪裡？我的錢在哪裡？」

「人生本來就很不容易啊！」小豬邊說邊飛出窗外。

「回來！」Charlotte 高喊。

「也許吧，」小豬說。

讀一讀繪本原汁原味的英文

"That's not fair, you tricked me," said Charlotte.
"Where's my wish? Where's my money?"
"Life can be very hard," said the pig as he flew out of the window.

「這樣不公平，你呼嚨我，」夏綠蒂說。
「我的願望呢？我的錢呢？」
「人生太難說了，」說完，小豬就飛出窗外。

　　這段文字是小豬耍了 Charlotte 後，Charlotte 對小豬的抗議和小豬的回應。

　　小豬無疑給 Charlotte 上了寶貴又震撼的一課。是啊，人生的真相似乎就是如此，努力不一定能確保嚐到甘美的豐收。別人會怎麼樣對待我們，我們無法掌控，也難以預期。但我還是想以 Kent M. Kieth 寫的十條「不管怎樣，還是要……」與大家相互勉勵，希望我們永遠不要放棄行走在正確的道路：

1. 人都是邏輯不通、不講道理、只顧自己的。
   但不管怎樣，還是要愛人。

2. 你做好事，別人說你是為自己打算。
   但不管怎樣，還是要做好事。

3. 你成功以後，會獲得假朋友和真敵人。
   但不管怎樣，還是要成功。

4. 你今天所做的善事，明天就會被遺忘。
   但不管怎樣，還是要行善。

5. 誠實與坦率待人，常使你受到傷害。
   但不管怎樣，還是要誠實坦率。

6. 眼光遠大的人，會被心胸狹隘的小人打擊。
   但不管怎樣，還是要眼光遠大。

7. 人都會同情弱者，可是只追隨贏家。
   但不管怎樣，還是要為弱者奮鬥。

8. 你多年建立起來的東西，極可能毀於一旦。
   但不管怎樣，還是要建設。

9. 別人急需幫助，你幫了忙以後竟然被他們攻擊。
   但不管怎樣，還是要助人。

10. 你把最好的自己獻給了世界，卻大大受挫。
    但不管怎樣，還是要獻上最好的自己。

想一想繪本的內在訊息

　　小豬撲滿顯然給小女孩 Charlotte 來了一次強大的震撼教育。上天從未允諾賜予我們一個玫瑰園，人生不是想要的東西都能得到，也不是別人承諾了我們什麼，就百分之百會兌現。這麼說似乎頗為殘酷無情，卻是人生的真相，誠如故事中的小豬撲滿所言：「活著原本就很不容易。」

　　你是否也曾遭逢這些情況？努力耕耘，卻得不到甜美的果實；兢兢業業，卻始終得不到上司的賞識青睞；認真進取，卻永無出頭機會；日日挑燈夜戰，卻在重要考試中敗下陣來；用心教導培育孩子，孩子卻不領情，甚至叛逆、學壞；勤奮鑽研「秘密」法則，誠懇期盼心想事成，生活卻還是不如己意、滿是挫敗；真心呵護得來不易的愛情，卻遭情人無情的背叛；信賴朋友，與之合夥做生意，竟被朋友出賣，險些傾家蕩產；長官拍拍你的肩，說：「年輕人，好樣的，我欣賞你，好好幹，我準給你加薪升官。」，結果等到地老天荒，不僅沒被提拔升官，薪水也沒加到半毛。遇到如此這般的人生殘酷，你怨不怨？會不會心有不甘對天咒罵：「老天爺啊，您可真真不公平，為何賞給他人舒服妥貼的人生，卻對我百般刁難，就是不給好日子過！就是不願意應許我對您的請求！」

人生的真實面不如童話故事美好，我們的用心，我們的努力，我們的歷經千辛萬苦，不一定都可以「從此過著幸福快樂的日子」。努力不一定會得到好回報，到頭來可能只是白忙一場。也可能像 Charlotte 那樣被擺一道，他人不一定會照著先前的約定，去實踐允諾。知曉這樣的世道和人生真相，你還願不願意努力？還願不願意對未來和人性抱持盼望？

真心可能只換得絕情。

辛勤耕耘可能不見得有收穫。

　　生命可能真如故事裡的小豬所言充滿艱難，重點是，在面對人生路上的荊棘或暴雨時，我們如何應對？我們可以對人事失去信心，悲觀看待一切；也可以選擇懷抱無可救藥的樂觀，在屢遭挫折後重新奮起，繼續昂首向前。我願意樂天的相信，一步一腳印，努力絕對不會白費，就算眼前似乎看不見實質的報酬與成果，但凡走過必留下痕跡，所有的耕耘點滴累積，都將是別人奪不走的珍貴資產。生命的寬度與深度會在腳踏實地中逐步走出來，祝福親愛的你，也祝福親愛的我自己。

作者 David McKee 是英國知名的繪本創作家，人稱「當代寓言大師」，其最著名、最受歡迎的繪本非「大象艾瑪」系列莫屬。他擅長以幽默趣味故事擄獲孩子的心，也善用看似簡單的故事帶領大小讀者思考。其作品繁多，廣受喜愛。以下是 David McKee 有被翻成繁體中文版的作品：

1. 《彼得王子與泰迪熊》，和英。

2. 《瑪莉的秘密》，和英。

3. 《大象艾瑪》系列，和英。

4. 《小琪的肚子咕嚕咕嚕叫》，和英。

5. 《冬冬，等一下》，和英。

6. 《Charlotte 的撲滿》，悅讀。
   （即本文介紹繪本之中文版，已絕版。）

7. 《征服者》，和英。

8. 《泰迪熊大戰怪獸》，遠流。

9. 《誰是古太太》，和英。

10. 《三隻怪獸》，阿布拉。

11. 《大嘴鳥「兩罐」的故事》，阿布拉。

12. 《山丘上的石頭》，道聲。

13. 《丹福先生》，道聲。

不要小看我！

33本給大人的療癒暖心英文繪本

14.《消失的魔法》，道聲。

15.《一直打嗝的斑馬》，道聲。

16.《黑象與白象》，三之三。

17.《梅瑞克和巫師》，道聲。

翻攝自：The Heron and the Crane

文：John Yeoman / 圖：Quentin Blake
出版社：Andersen Press
出版日期：2011. 03. 07

18

The Heron and the Crane

當你想要好好與人溝通

 聽一聽這則故事

　　鶴先生不想再自己一個人，噢不，一隻鶴了，他好想結婚。決定了！他要去向蒼鷺小姐求婚。

　　一到了蒼鷺小姐的家，鶴先生沒頭沒腦劈頭就問：「嫁給我吧？！」

　　面對突如其來的求婚，蒼鷺小姐受到很大的驚嚇，不但沒答應，還劈哩啪啦狠狠的罵了鶴先生一頓。鶴先生求婚不成，還被羞辱，垂頭喪氣離開了蒼鷺小姐的家。

　　然後，蒼鷺小姐靜下了心，想想自己真是太不應該了。何必說那些那麼不客氣的話呢？自己其實是願意嫁給鶴先生的呀！便決定去向鶴先生道歉。

但，她誠懇的道歉，卻換來鶴先生的冷言冷語。蒼鷺小姐太傷心了，眼淚撲簌簌掉下來，轉身跑回家。

　　這下子，換鶴後悔了。他覺得自己好殘忍，他多麼想和蒼鷺結婚啊！怎麼反倒傷害了她的感情？他心裡好難受，下定決心要再去找蒼鷺，誠摯的道歉。

　　蒼鷺原諒了鶴嗎？並沒有！還在氣頭上的蒼鷺，不等鶴把話說完，便不停的數落鶴的不是。鶴又落寞的返回自己的家。

　　又換蒼鷺後悔了，她擔心說話太苛刻，會害鶴想不開。她急急忙忙跑去找鶴，見到鶴平安無事，非常開心，並請求鶴的原諒。但鶴驕傲的把頭抬得高高的，斷然拒絕蒼鷺的道歉。

　　就這樣來來回回，不是鶴走過去找蒼鷺，就是蒼鷺走過來找鶴，鶴找蒼鷺，蒼鷺找鶴……找找找……直到現在，都還沒個了結呢！

 讀一讀繪本原汁原味的英文

There really is no need to tell you that the crane
very soon thought things over.
But, of course, the heron wouldn't listen to him.
And so they went on, day in, day out, backwards and
forwards from one end of the swamp to the other.

實在沒必要告訴你，鶴很快就想清楚了。
但是，當然了，蒼鷺聽不進去的。
他們就這樣一日復一日，在沼澤兩地來來回回努力溝通。

　　這段文字描繪鶴先生與蒼鷺小姐的無效溝通，他們總不願耐
著性子聆聽對方說話，也總帶著負面情緒去回應彼此，事後才懊
悔。就這樣來來回回不斷重複不具建設性的溝通歷程。

身為讀者的我們看著鶴先生與蒼鷺小姐的言談互動，真忍不住為他們捏把冷汗！明明他們都想與對方結婚，偏偏自尊與驕傲的心態讓他們無法卸下心防，好好傾聽對方的心，真是遺憾！

而從這個故事，我們也知曉情緒修練的重要。我們都有生氣的時候，面對怒氣，我們該如何自處？又該如何讓這怒氣慢慢平息下來，才不致波及他人、傷及無辜？

我們看到鶴先生與蒼鷺小姐每每在氣頭上時，總不願給對方道歉的機會，還口無遮攔的辱罵對方，讓對方非常難堪。其實只要試著讓自己的心沉靜下來，先專注聆聽對方說話，再緩緩表達內心最真實的想法和最真誠的情感，便能順利有效的進行溝通與和解，否則永遠只能徒留悔恨啊！

帶著怒氣說話，就好似化身為噴火龍，說出來的話彷若一道又一道炙烈的火，很容易就把別人給燒傷了。如果是輕度燒傷，那燒傷的痕跡也許會隨時間慢慢褪去。但如果是重度燒傷呢？那傷痕、那印記是不是有可能持續存在一輩子？

我就曾好幾次在承接別人怒火時，被猛烈的重重灼傷，尤其那怒火如果是來自最最親近的家人，燒傷程度就會更加劇烈，傷口也更難痊癒。但我不想責怪也不想怨懟，我知道人都有情緒，生氣時說出的話語自然是不理性、有欠思維的。我選擇同理、原

激烈的言語就好像烈火蔓延傷人。

諒，並不是因為宅心仁厚、心胸寬大，只是單純希望自己能保有
平靜的心，別拿別人的氣話來讓自己不好過，不要用別人的錯誤
來懲罰自己。

而這也令我省思：「我是不是也曾在怒火中燒時，迸出一些情緒性的字眼傷害了他人？」祈願自己修養心性，讓心境越來越寧靜平和、不隨境轉。就算不容易做到遇上任何人事都能保持情緒的平穩，也要在情緒風暴來臨時，學習以深呼吸、轉念、靜心等方式來度過每一波情緒的襲擊，不要讓生氣時的自己，說出傷人的話語或做出懊悔的事情。

　　鶴先生與蒼鷺小姐的故事提醒了我們，與人溝通時，且放下高傲、驕矜的姿態，心平氣和的聆聽對方的話語，並細細體會對方藉由這些話語想要傳達給我們的想法與情感，也試著把自己想讓對方知道的，不急不徐的完整說出來。唯有雙方都願意敞開胸懷，放下成見，溝通之門才有開啟的機會，才能擁抱美好和諧的人際關係。

1. 此繪本有中譯版，書名為《蒼鷺小姐和鶴先生》，道聲出版。

2. 《The Heron and the Crane》 這 本 繪 本 的 繪 者 Quentin
   Blake，是英國家喻戶曉的繪本插畫家，作品無數，也屢獲各
   大重要獎項。他曾為法國Andre Bouchard 所寫的故事《Daddy
   Lost His Head》繪製插圖，這本書要推薦給為工作忙碌的爸
   爸媽媽們，希望大家在繁忙之餘，別忘了用心陪伴孩子呵！
   （此書有中譯版，書名為《爸爸的頭不見了》，道聲出版。）

第五帖藥方

百憂解：在哪裡找得到力量

翻攝自：Good News Bad News

文‧圖：Jeff Mack
出版社：Chronicle Books
出版日期：2012. 07. 04

19
Good News Bad News
當你老是看到事情的負面

 聽一聽這則故事

兔子開開心心的來找好朋友老鼠，他高舉著野餐籃說：「好消息！」

這時，天色突然大變，下起雨來，老鼠失望的說：「壞消息。」

兔子立刻從野餐籃裡拿出雨傘，說：「好消息！」

老鼠一撐起傘，就被強風颳到半空中，驚嚇的大喊：「壞消息！」

狂風吹呀吹～老鼠和傘安全的卡在樹上，然後平安落地，兔子快樂的說：「好消息！」

「咚！」什麼東西掉下來？砸到老鼠的頭，老鼠痛得大喊：「壞消息！」

「是蘋果耶！！！」兔子開心的說：「好消息！」

老鼠咬了一口蘋果，天啊！有隻毛毛蟲從裡面鑽出頭來，他嚇了一大跳說：「壞消息！」

兔子從野餐籃裡取出蛋糕安慰老鼠，說：「好消息！」

豈料竟然來了一隻蜜蜂停在蛋糕上，拿著蛋糕的老鼠瞪大眼說：「壞消息！」

兔子拿出蒼蠅拍，說：「好消息！」

誰知兔子一揮蒼蠅拍，打爛了蛋糕！還噴濺得老鼠滿頭滿身都是蛋糕屑，老鼠大叫：「壞消息！」

兔子伸出手指，沾了老鼠身上的蛋糕屑嚐一嚐，真好吃！兔子笑嘻嘻說：「好消息！」

嗡嗡嗡！剛剛被蒼蠅拍攻擊的蜜蜂找了一大群夥伴來報仇，兔子和老鼠慌張逃跑，老鼠哇哇叫：「壞消息！」

幸好兔子發現一個山洞，躲了進去說：「好消息！」

沒想到山洞裡住著一隻大棕熊！兔子和老鼠衝出山洞，大棕熊和蜜蜂們緊追在後，老鼠邊跑邊高喊：「壞消息！」

前面出現一根旗桿，兔子和老鼠爬了上去，大熊抓不到他們，好生氣。兔子說：「好消息！」

「嘶！」一道閃電劈中了兔子、老鼠和大熊，被烤焦的老鼠傻眼說：「壞消息！」

　　被電的黑漆漆的老鼠和兔子掉進池塘裡，兔子指著也被閃電烤焦、落荒而逃的大熊，開心說：「好消息！」

　　老鼠再也受不了兔子老是說：「好消息！」了，他抓狂的大叫：「壞壞壞壞壞壞消息！」

　　兔子被指責了。一開始淚眼汪汪，接著嚎啕大哭說：「壞消息！」

　　老鼠看到兔子哭得好傷心，覺得不好意思。雨停了，太陽出來了，老鼠興奮的跑去把野餐籃拿過來，對兔子說：「好消息？」

　　兔子破涕為笑，開心的抱著老鼠說：「非常非常好的消息！」

 讀一讀繪本原汁原味的英文

　　作者 Jeff Mack 展現了讓圖畫說故事的超強功力，文字部分只用了「Good News. Bad News.」（好消息／壞消息）這四個字，簡潔而力道十足。

想一想繪本的內在訊息

這是思維截然不同的好朋友彼此互動的故事。老鼠總是看見事情的負面；兔子則恰恰相反，總是帶著陽光般的心情，總能在看似倒楣的遭遇中，發現正向美好的一面。

兔子是個好朋友，他不斷提醒和鼓勵老鼠正向看待生活中的霉運或不順意，不要讓自己執著在「我的運氣怎麼這麼背，老是遇上倒楣事！」的負面思想裡。

但是一開始倒楣事都發生在老鼠身上啊！像是被強風颳走、被蘋果打中、吃到有蟲的蘋果，還有全身都沾滿蛋糕等。遭遇一連串的壞事，真的很難很難永遠正向樂觀呀，畢竟我們都是凡人，都有喜怒哀樂的情緒！

最後故事的轉折在於，老鼠看見兔子遭到自己大聲的抗議與咆哮而傷心得掩面哭泣，這時他心懷愧疚，想到兔子對他這麼好，他竟對兔子大聲吼叫。老鼠極力想要安慰兔子，也誠心想要補償他的過錯，於是一看見陽光乍現，便急匆匆的奔去拿野餐籃，向兔子提議：「來野餐吧！」

原來，我們一心想鼓勵對方正向思考、樂觀，對方卻不一定領情，可能還會覺得是局外人不懂他的苦，才會把事情說得那樣輕鬆容易。真正讓對方想要改變的原因，是友誼觸動了他。真心的陪伴與對待，才是真正力量的來源。

看半杯水的態度：非洲的孩子 vs. 我們的孩子

　　然而，我們還是可以向兔子學習，不要把心思聚焦在事情的負面上，因為越是如此，情緒越是亂糟糟，看什麼人、見什麼事都不高興、不順眼，豈不是和自己過意不去？讓自己日子難過？

　　我們該學著，別讓事情的負面效應停留在心上太久，該學著以不同的角度去看待事情傳達的正向訊息。正向的想法，帶來好心情，也招來好運氣，而身心是相互影響的，心快樂滿足，身體自然健康。

　　親愛的，讓我們相互勉勵，好嗎？當你又不小心陷入慣性的負面思惟中，想想這則故事裡的兔子吧！

看一看其他好書

1. 此本繪本有中譯版，書名為《好消息壞消息》，三之三出版。

2. 《Pom and Pim》
   Pom 和他的玩偶 Pim 每天的生活裡，有開心，也有難過；
   有好運氣，也有壞運氣。有超大隻的冰淇淋吃，真的就是好
   運嗎？下雨真的就是壞運嗎？那可不見得呵！同一件事情，
   以正向的心情去看待，壞運也可以變好運！

翻攝自：The Colour Thief

文： Andrew Fusek Peters, Polly Peters / 圖：Karin Littlewood
出版社：Albert Whitman & Company
出版日期：2015. 09. 01

20
The Colour Thief
A Family's Story of Depression
當你處於人生的低谷

 聽一聽這則故事

　　小男孩愁眉苦臉：「爸爸原本很開朗陽光，每天生活得多采多姿，但突然有一天，他變得好悲傷，把自己關在屋子裡，什麼都不想做。他說生活中的顏色，被一個個偷走了、偷光了！他說他被困住了，就像彈珠被困在瓶子中那樣。」。

　　「爸爸不接電話，不應門，什麼人都不想見。他拉上窗簾，整天躺在床上。」

　　「媽媽和我擁抱爸爸，但他還是好悲傷好悲傷，爸爸就像自己一個人住在一個冰塊裡一樣。」

　　小男孩很自責：「我想，一定是我做錯了什麼事，才會讓爸爸變成這樣。但爸爸說，不是我的錯。」

　　後來爸爸去了醫院，心理醫師和爸爸聊了聊，開了一些藥物給他。

　　時間一天天過去，過得好緩慢好緩慢。終於有一天，爸爸打開窗戶，讓陽光灑進屋子來。

　　小男孩開心的說：「我泡了杯加了糖的茶給爸爸，爸爸說味道真好」。

　　小男孩提議：「我們出門走走吧！」，爸爸說：「好。」小男孩牽著爸爸的手，一起享受蔚藍的天空和芬芳的草地。爸爸給了小男孩一個大大、緊緊的擁抱，他們的生活再度充滿了繽紛多彩的顏色。

讀一讀繪本原汁原味的英文

But one day, Dad was full up with sadness, all the way to the top. He said his sky had turned grey. I thought I had done something wrong, but he told me I hadn't.

有一天，爸爸充滿著悲傷的情緒，淹到頭頂了。他說天空變灰了。
我猜想我做錯了什麼，但他說我沒有。

這段文字是描述一個家庭裡，爸爸得了憂鬱症，生活一下子從彩色轉為一片灰暗，心中被像無底洞般的悲傷給佔據，難以自拔。

走在人生低谷中的人們，有時候很難靠自己的力量重新站起來，需要尋求專業醫療的協助，更需要親友的溫暖陪伴與支持。如果你身邊有憂鬱症的朋友，請不要吝於付出你的關愛，每一份關心、每一份同理，都可能是憂鬱症患者轉換心境、獲得重生的契機。

家裡若有大人罹患憂鬱症，也要注意孩子的心理狀態，幫孩子做好心理建設，讓孩子知道這一切不是他的錯，不用害怕，不用擔心，爸爸媽媽會好起來的。

想一想繪本的內在訊息

　　每個人的生命裡存在著各自的艱難，有人天生殘疾，有人窮困潦倒，有人病痛纏身，有人為情所困，有人為育兒苦惱，有人為錢奔波勞累……。我也曾行走在艱難中，感覺日子好難過。那時，兩個孩子年紀尚小，加上剛請完育嬰假重返職場，有諸多的不適應與不順遂。每天工作、育兒兩頭忙，心理的壓力反應在胃疾上，不管吃不吃東西，胃都不舒服到令人難受。每次吃東西前，都擔心等一下東西吃下肚，胃又會作怪。看了好多醫生，吃了好多藥，還是不見改善。身體不適，真的很影響心情，我常常在胃不舒服時，對孩子發火，明明就不是孩子做了什麼錯事，就只因媽媽情緒欠佳而遷怒孩子，事後常深感愧疚。

　　胃疾纏身好一段時日，我開始對生命失去熱情與希望。每天早上醒來，感受不到對新的一天有任何期待，想到的只有責任，對孩子的責任，對學生的責任，對父母的責任。因為還有責任在身，我逼迫自己起床面對，但內心空虛萬分，開始迷茫困惑，甚至失去微笑的能力。那時真的很不快樂很不快樂，去看了心理醫師，醫師請我填寫一張檢測表後，立即斷定我得了憂鬱症。

　　我不覺得憂鬱症有何不可告人，坦然接受我的心裡生了病，需要重建與治療。但服用了幾個月的藥物，除了失眠的情況有所改善外，心情還是處於低谷，並無好轉。

情緒好壞影響人至深。

　　那時，突然心生一股反叛的力量，我告訴自己：「為什麼醫生憑一張簡單的問卷，就可以斷定我罹患憂鬱症？每個人都會遭逢困境，都會遇到情緒的低潮，難道每個病患走進心理醫師的診間，告訴心理醫師：『我對任何事都提不起勁，覺得人生一點都不好玩有趣，只剩下責任而已。』時，就要被宣告是輕度、中度或重度憂鬱？」，當下我毫不遲疑的決定，既然服藥無效，我要靠自己的力量重新站起來，好好的活下去。

　　好感謝彼時先生一直守護我、鼓勵著我，他讓我知道自己不孤單，有事不用怕，有他可以商量；心裡惶惶不安時，別著急，有他在，他會聽我說話，為我擋風遮雨。在愛的支撐下，我每天給自己信心喊話、給自己設定前進的目標，要自己慢慢走出抑鬱的情緒。也好感謝後來遇到一位腸胃科醫師，他的用藥漸漸改善我胃部不適的症狀。身體與心理是相互影響的，身體舒服了，心情起伏不定的狀態變少了，更有了安定前行的力量。

　　走過那段人生的艱難，我很感恩，也更加珍惜家人的愛與生命中每一個時刻。那段屬於人生的幽谷告訴我，上天從來沒有許諾要給我一處鳥語花香、晴朗無雨的天堂，也不是心想就能事成，生命多的是艱難，但艱難裡還是要心存盼望，相信宇宙中存在美好、正向的巨大能量，終將帶領我撥開人生中的迷霧與艱難，往幸福的方向走去。

看一看其他好書

　　關於憂鬱情緒相關繪本，可另參考 Shaun Tan（陳志勇）的
《The Red Tree》，中文版書名為《緋紅樹》，和英出版。

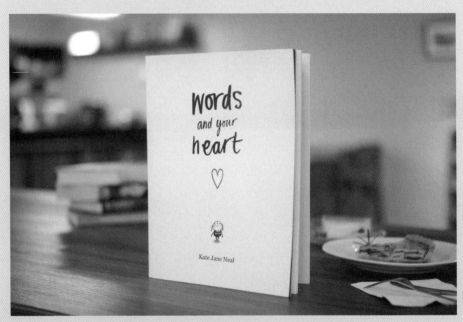

靚攝自：Words and Your Heart

文・圖：Kate Jane Neal
出版社：Wild Goose-Media
出版日期：2015. 11. 01

21

Words and Your Heart

當你感受到言語的力量

 聽一聽這則故事

這本繪本沒有明顯的故事性，而是以簡單的文圖傳達言語的力量。

進到你耳朵裡的話語，會對你的心產生影響；你的話語對他人也同樣有神奇的效力。正面的話語讓人開心，甚至想高歌一曲；負面的話語讓人受傷，想哭泣，有時更像一把致命的箭，刺穿人的心。

言語的威力不容小覷──如果有人傷心，你的話語可以使他們振作；如果有人軟弱，你的話語可以幫助他們堅強；如果有人想要放棄，你的話語可以激勵他們繼續前行。

話語就是這麼神奇，就是擁有這麼強大的魔力，讓我們一起藉由話語把愛散播出去。因為你，某個人的世界可能更美好了，你一定也很開心吧！

Words have POWER. Your words can actually change the way someone's heart feels.

語言文字有力量。你的語言真的能改變其他人心裡的感受。

　　有句諺語說：「良言一句三冬暖，惡語傷人六月寒。」話語的力量由此可見一斑。

不好的話語如利箭傷人。

 想一想繪本的內在訊息

　　我曾有一個很不好的求診經驗。那時常感尿道不適，吃了抗生素後亦不見好轉。我多次求助於同一位醫師，醫師對於我密集來看診似乎有些不耐。看診時我說：「我還是覺得很頻尿，解小便的時候也有灼熱感，不太舒服。」醫生聽完後，面無表情、很嚴肅的回應：「我該幫妳做的檢查都做了，該開的藥也都開了，大概是我這小診所無法滿足妳的需求，我這小醫生黔驢技窮了，妳另請高明吧！」沒想到醫生會有如此的反應，我當場楞住了，

不知該如何接話。醫生見我不發一語,又接著說:「妳還有什麼問題嗎?如果沒有其他問題,開刀房還有個病人在等我,我得去忙了,我沒時間在這裡瞎耗。」

我原本對這位醫師是很尊敬也很信賴的,但他那一天對我說的字字句句卻給我好大的打擊,他的話不免讓我心想:「醫生一定覺得是我太神經質、心裡有病,明明該做的檢查與治療都做了,怎麼還跑來吵說不舒服?這個病人該看的不是泌尿科,而是身心科吧?」被醫生嫌棄、被醫生軟性趕出求診間,真的讓我感覺糟透了!當時好委屈,忍不住對老公吐苦水:「沒有人喜歡沒病去找醫生的,我是真的感到不適,也好擔心自己的身體,才特別請假去看診,為什麼醫生就是不能同理病人的心情呢?」

那次看診的經驗,讓我難過好幾天,也讓我看到身為一位醫師不該有的自負與傲慢。我努力提起正念,要自己腦海裡別再老是轉著醫生對我說的話,告訴自己:「放下吧,別拿他人的錯誤來懲罰自己,別讓他人的負面話語久久停留在心中折磨自己。」

我想我們遭逢的每件事情,都有上天想要傳達給我們的正面訊息。後來轉個念想:「雖然醫生的話很傷人,但其實他只是想告訴我,我的身體沒事,別老愛瞎操心。」而這也讓我更加意識到,負面言語對人造成的傷害可能是非常巨大的,話說出口之前不得不慎啊!如果真不小心說了什麼帶有情緒性的字眼,事後也要學習放下身段,誠心誠意的向對方道歉,盡力彌補過失,讓對方得以舒心。

我期許自己可以做個溫暖的人，用良善的話語和具體的行動給人信心、給人勇氣、給人歡喜，也給人撫慰。當我們給出愛，就會得到更多的愛；當我們給出希望與安慰，在我們無助徬徨時，他人也會願意為我們帶來希望與安慰；當我們給出幫助與奉獻，在我們需要時，也將得到關心與協助，這樣正向的人際循環多美好！且讓我們停止抱怨，停止對人說重話，停止批評辱罵，停止任何的言語暴力。這些負向言詞從來不會為我們帶來任何的喜樂與幸福，想得到幸福的話，先給出讓人感到幸福的話語吧！

美好的話語讓人如沐春風。

有時候，講真心話反而可能傷到別人的心呢！《The Honest-to-Goodness Truth》這本繪本談的是「說謊的確不好，但有些情況實在不宜說實話，善意的謊言其實也是一種體貼他人的心意啊。」（此繪本有中譯本，書名為《用愛心說實話》，和英出版。）

另外，美國歌手瑪丹娜撰寫的故事《Mr. Peabody's Apples》，談的也是言語的力量，聚焦在散播謠言可能造成的可怕傷害。（此繪本亦有中譯版，書名為《畢老師的蘋果》，格林出版。）

翻攝自：A Perfectly Messed-up Story

文‧圖：Patrick McDonnell
出版社：Little, Brown Books for Young Readers
出版日期：2014. 10. 07

22
A Perfectly Messed-up Story
當你感到生命一團糟

 聽一聽這則故事

小 Louie 是《A Perfectly Messed-up Story》這個故事裡的主角。

Louie 希望自己的故事可以完美進行，但他發現，這真是超級困難啊！故事才正要開始呢，背景就出現一小團果醬，沒多久他的臉還被不知道哪兒飛來的花生醬打中。等等！這還不夠糟噢，Louie 隨後發現故事背景到處都是指紋，甚至還沾到了柳橙汁！你能想像整個畫面有多混亂可怕嗎？Louie 好生氣好生氣大叫：「我的故事一團糟了啦！」

感覺自己的故事被毀了的 Louie，決定從頭開始說故事。

但故事說沒兩句，又來了！Louie 看見有人在故事上用色

181

鉛筆亂塗亂畫，他著急的大喊：「快拿紙巾來擦乾淨！」但不擦還好，越擦越糟，整個畫面看來是沒救了！Louie 好傷心好絕望，心想：「我的故事被毀了，沒有人會想讀這個一團亂的故事，更不會有人想珍藏這本書。」

　　Louie 放棄了！他懶懶的躺在地上，一點力氣都沒有，什麼都不想做了。

　　雖然旁白不斷在他耳邊重複說起故事的開場，小 Louie 卻一直躺著，一點兒也不想配合演出，直到，旁白說了一句：「在 Louie 心裡，他知道一切都很好。」

　　「是啊！一切都很好。」Louie 的心情頓時為之一振。他轉念一想，不沮喪洩氣了！決定好好說完這個屬於他的故事。Louie 堅定樂觀的對自己、也對讀者說：「儘管故事一團亂，但它還是一個好故事呀！我喜歡這個故事，沒有什麼可以阻擋我把這個故事說完。」

 讀一讀繪本原汁原味的英文

Everything IS fine. And it is a pretty good story,
messes and all. I love it! And nothing is going to
stop me!

一切都很好。這真是個好故事，整個就是一團亂。但我超愛！而且沒有什麼
能阻止我把故事說完。

　　這段文字是故事末了Louie心境轉換後的正向自我喊話。

我們都希冀能夠有個依順己意的人生，如果人的一生都可以照著自己編寫的故事腳本順利演出，該會有多完美啊！然而，我們也都清楚，人生不可能自始至終一帆風順，否則就不會有「人生不如意事，十常八九。」這句話了！

　　到目前為止，你是否滿意自己的生活？喜歡自己正參與其中的這一齣生命故事劇嗎？是否也像 Louie 一樣很想把故事說好，但總是有各種突如其來的波折與意外阻撓，讓你無法如願過想要的生活？是否因此感到失望、憤怒，甚至心想：「算了吧，再怎麼用心投入，也演不好人生這齣戲。我的人生就這樣了，過一天是一天吧，我一點也不想再做任何努力。」

　　每個人一出生拿到的人生故事腳本便有所不同，有的人拿到好劇本，有的人則拿到爛劇本，但劇本的好壞與我們演出是否出色精彩並無絕對的關係。有人可以把好劇本演得很差勁、無聊透頂，也有人就是有本事把爛劇本翻轉為一齣演技精湛亮眼的好戲，這一切端看是否願意對生命用心、盡力。更更重要的是，在盡力演出的過程中，倘若其他演員不配合，或是有各種突發狀況阻攔、甚至破壞這場戲的完美度，你怎麼轉念去看待眼前的不完美？

　　同一件事情，用不同的角度與心境待之，就會有截然不同的感受。這讓我聯想到 Jeff Mack 創作的繪本《Good News, Bad News》，這本繪本裡有兩個角色：兔子和老鼠。兔子約老鼠出門野餐，野餐過程中，不管是遇到下雨，還是被蜜蜂、大熊窮追不

人生不如意事，
十常八九。

但眼前的不完美也有可能是契機。

捨，兔子總能在壞情境中抱持正向樂觀的態度去面對，老鼠則恰恰相反，內心裡充滿負面能量，什麼事都能讓老鼠覺得很糟、不開心。如果是你，想當這個故事裡的兔子還是老鼠？

當你感到生命一團糟時，試著轉個念吧！轉念天地寬，再糟的事情，只要願意保持正念，正面思考，一定還是可以從中看到美好光明的那一面，甚至還有機會得到寶貴的啟發與領悟呢！

拋開對生活的不滿與埋怨吧！也放下對完美人生的執著與追求。生命有時難免糟糕到不行，當備感挫折，失去繼續努力的動力時，停下來頹廢一小段時日不打緊，但頹廢之後可別忘了重新奮起。生命是不是一團糟我們可以自己定義，就算真的一團糟也沒有關係，我們可以隨時讓自己歸零重來，一切都不嫌晚，調整心情與腳步之後再前行。記得告訴自己，生命時有曲折、時有阻力是常態，生命不完美也是常態，不完美也可以是個好故事，這些都不會影響演好一齣屬於我們自己的人生故事劇，讓我們輕鬆以對，繼續盡心在人生舞台上快樂自在的演活自己吧！

看一看其他好書

關於正向看待人生的不完美，另推薦《Beautiful Oops!》這本繪本給大家。作者透過充滿創意與巧思的內頁設計告訴我們，當你不小心把紙給撕了一大截，別懊惱，嘗試將這撕痕搖身變為鱷魚的嘴巴；如果顏料不小心潑灑出來，怎麼辦？別愁，發揮強大創意，讓這潑灑一片的顏料變成狗、鳥、大象等動物的形狀吧。原來所有的「糟了！」、錯誤和不完美，都有機會變成令人驚豔的美麗！只要願意轉個念，幽默、寬心對待生命中的失誤，並試試發揮一點小創意來排解生活中的不順意，我們會活得更悠遊自在、舒暢開心。

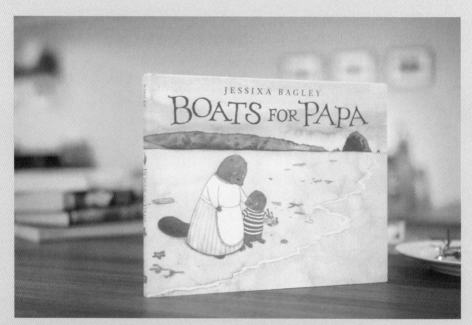

截攝自：Boats for Papa

文、圖：Jessixa Bagley
出版社：Roaring Brook Press
出版日期：2015. 06. 30

23
Boats for Papa
當你需要溫暖的撫慰

 聽一聽這則故事

Buckley 和媽媽住在海邊，他們擁有的不多，但他們擁有彼此。

Buckley 喜歡去海灘撿東西，他將海邊撿來的漂流木製成小船，這是他為爸爸做的，他好希望爸爸能看見。

在 Buckley 生日那天，他和媽媽到海邊野餐，媽媽送他顏料和筆刷，Buckley 很開心可以替小船上色。

傍晚，Buckley 和媽媽出門散步，Buckley 隨身帶著他特別為爸爸製作的小船，小船裡附了一張字條，字條上寫著：「給爸爸。愛您的 Buckley。」

Buckley 把船放到海水裡時說：「這艘船要送給爸爸，如

果船沒漂回岸上，就表示爸爸收到了！」Buckley 還想做更多更多艘船！

深夜，Buckley 睡了，媽媽一個人來到海邊想著爸爸，她也好想他啊！

之後，每逢特別的日子，Buckley 都會和媽媽散步到海邊，將新做的小船放入海中，請海水帶給爸爸。每一艘小船上，Buckley 都會附上一張紙條：「給爸爸。愛您的 Buckley。」

Buckley 製作給爸爸的船，一艘比一艘漂亮精細。很快的，又是 Buckley 的生日了，媽媽陪 Buckley 玩海盜遊戲，一起尋找埋藏在沙灘中的寶物。媽媽還為 Buckley 做了一個小船造型的蛋糕！

夕陽西下，正準備把新製成的小船放入海中時，Buckley 突然想到他忘了寫字條給爸爸了！

他焦急的跟媽媽說：「我馬上回來呵！我要回家寫字條，這樣爸爸才會知道這艘船是要送給他的。」

當 Buckley 跑回家，打開媽媽的書桌要拿紙寫字時，突然發現先前送給爸爸的所有木製小船都在書桌裡！這是怎麼回事？

Buckley 蓋好書桌的蓋子，靜靜的坐著，他知道這些船並沒有送到爸爸手上，它們漂回岸上來了。

Buckley 回到海邊，媽媽正等著他呢！ Buckley 把寫好的紙條放入小船，然後和媽媽一起看著小船漂走。

　　睡前，Buckley 說：「媽媽，謝謝妳，我今天好開心。也謝謝妳讓每一天都如此美好。」媽媽對 Buckley 說：「親愛的，別客氣，我愛你。」

　　Buckley 就寢後，媽媽又自己一個人來到海邊，今天稍早前 Buckley 送給爸爸的小船再次漂回岸邊。媽媽拿起小船，看到小船裡的字條寫著：「給媽媽。愛您的 Buckley。」

 讀一讀繪本原汁原味的英文

Carefully, she pulled Buckley's boat from the kelp and brushed off the sand. As she wrapped it gently in her shawl, she saw the note Buckley had written. It read:
For Mama
 Love, Buckley

她小心翼翼的把 Buckley 的船拉掉水草、撥掉沙子，當她輕輕的把船放在披肩裡時，看到 Buckley 寫的紙條。上面寫著：
「給媽媽。
愛你的，Buckley 上」

　　這段文字描述媽媽趁 Buckley 入睡後，來到海灘，將漂回岸邊、稍早前 Buckley 送給爸爸的小船，從海草裡拉出來，並撥掉上頭的沙子。正當她輕柔的將船包裹在披肩時，發現了 Buckley 寫給她的字條，媽媽當下的心情定是相當感動與欣喜吧！

想一想繪本的內在訊息

　　故事裡沒有明說 Buckley 的父親去了哪裡？可是我們隱約知道 Buckley 的父親應是去了遙遠的他方，也許是天堂。Buckley 在沒有爸爸陪伴的日子裡，時時念著爸爸，想著要製作最棒的小船，也盼望大海能為他把船兒送給爸爸，這是他傳達情感的方式，也是他想念父親的儀式。

　　在思念爸爸的日子裡，Buckley 不孤單，他有媽媽最深情、體貼的陪伴。媽媽不忍 Buckley 發現船兒沒能成功送達爸爸手中，偷偷的把漂回岸邊的船兒一一收藏起來。而 Buckley 也是那樣的溫柔善解，當得知真相時，並沒氣憤怨懟，而是感受到媽媽的美好心意，藉由一張字條上簡單的話語，向親愛的媽媽表達深深的感謝與暖暖的愛。

　　能有如此貼心懂事的孩子，是媽媽的幸福。愛讓這對母子有了更堅強的生存勇氣，愛會帶著他們找到生命的出路。

　　有時候，我們容易忽略近在身旁關心我們、疼愛我們、照顧我們的人兒，卻癡癡遙望遠方那不可及的星與月。我們難以接受逝去的，我們用悲傷的眼淚或種種思念的儀式來度過生離死別的艱苦，我們冀盼能與去向遠處的他（她）再度牽上線。無法再見其人、再聞其聲，是多麼令人痛徹心扉！時間是良藥，可緩緩治癒我們心裡的不捨與痛楚，然而身邊默默相陪的家人與摯友更是我們得以走出傷痛的大功臣！

即使孩子的母親不在身邊，還是要化悲傷為力量。

　　當你想念已逝的美好，需要溫暖的撫慰時，就用力擁抱眼前陪你走過大小風雨的那個人吧！

1. 此書有中譯本，書名為《送給爸爸的小船》，道聲出版。

2. 這本《Boats for Papa》是美國繪本創作者 Jessixa Bagley 初試啼聲之作，其溫暖人心的故事鋪陳，在讀者和書評家心中留下極為深刻的印象。2016 年 2 月她乘勝追擊，出版第二本繪本，書名為《Before I Leave》，這是一本關於搬家和友誼的故事，溫馨的筆觸與圖像再次打動眾人的心。（此書有中譯本，書名為《在我離開之前》，道聲出版。）

第六帖藥方

名醫諮詢：終將面對的生命歷程

翻攝自：The Lines on Nana's Face

文‧圖：Simona Ciraolo
出版社：Flying Eye Books
出版日期：2016. 10. 11

24
The Lines on Nana's Face
當你害怕皺紋布滿你的臉

 聽一聽這則故事

今天是奶奶的生日，大家都來為她慶生，奶奶好開心。

但奶奶似乎突然想起了什麼？看起來，一會兒有點難過，一會兒又顯得驚訝，一下子又像正擔心些什麼……

我跑到她身旁問：「奶奶，妳怎麼啦？」

奶奶回過神看著我：「噢，或許是我臉上的這些皺紋，讓我想起了一些事。」

我很好奇：「妳討厭這些皺紋嗎？奶奶？」

奶奶微笑說：「不！一點也不討厭呀，妳看，我把所有的珍貴記憶都藏在這些皺紋裡呢！」

我不相信：「怎麼可能？！一條條這麼小的皺紋，怎麼裝得下那麼多的記憶呢？」我決定來測試一下奶奶。

「這一條？那一條？那麼這一條呢？！」但不管指著哪條皺紋考奶奶，她總回答得出對應的事件。如：小時候的奶奶，親眼見證了貓媽媽產下可愛小貓咪的驚喜；少女時期的奶奶，有一天在狂風大作、烏雲密布的海邊，和一群死黨共度的難忘野餐時光；奶奶第一次與爺爺相見的情景；還有，奶奶為了即將出嫁的姊妹，趕工縫製最棒的婚紗；這些皺紋裡，也存著一幕又一幕讓奶奶依依不捨，流淚話別的時刻……。

最後的最後，我迫不及待追問：「奶奶，那妳記得第一次見到我嗎？」奶奶臉上漾起慈祥的微笑，一手摟著我，一手指著嘴角其中一條小皺紋說：「當然記得呀，那段記憶就在這裡呢！」我們一起笑得好甜，好開心。

 讀一讀繪本原汁原味的英文

"Do you mind them[all the lines on your face], Nana?"
I ask.
"Not at all, she says. You see, it is in these lines that I keep all my memories!"

「你會介意（臉上的皺紋）嗎，奶奶？」我問。
「完全不介意，」她說。「你看，這些皺紋裡有我所有珍藏的記憶！」

　　小孫女問奶奶介意臉上的皺紋嗎？奶奶說：「一點也不介意呀，妳看，我把我所有的記憶都存放在這些皺紋裡呢！」

　　奶奶好有智慧呀。她翻轉了我們對皺紋的負面觀感，讓我們發現，原來每一道皺紋的背後，都訴說著一段動人心弦的生命故事。

想一想繪本的內在訊息

　　你害怕變老嗎？你害怕皺紋一條又一條慢慢爬上你的臉嗎？我們總是崇尚年輕無瑕的軀體和臉蛋；使用各式各樣的保養品來寶貝自己的肌膚，期盼能夠延緩肌膚的老化；我們抗拒變老，希望如螢幕上諸多明星那般凍齡，永保青春。然而，生命是一條不可逆轉之路，我們終將一步步走向暮年。適度的保養，讓自己的身體機能維持在良好狀態，是疼惜自我的展現，但若出於過度恐懼老化，而挹注大量心力和大把銀子，這舉動無疑是與自然天則對峙，人怎可能勝天？

　　無力抵抗衰老是不爭的事實，但我們可以決定如何看待──接納自己終將變老，接納青春總有消逝的一天，「臣服」讓我們活得更坦然自在。

　　已然來到四十好幾的我，隨著臉上老人斑的出現，開始意識到皮膚在老化。老實說，起初是驚愕的，心想：「天哪！原來老人斑出現的時間不是老年，是中年！」除了加強防曬外，也試著調整自己的心態，接受青春不再的身體現況，也更加珍惜現下的生命。我告訴自己，年輕的身體一去不回，但心境可以永保年輕。我要維持對生命的熱情與憧憬，要活得比年輕時更美好精彩，這是我對自己深切的期許。

我們能不能面對自己的青春逝去？

好喜歡故事裡頭的奶奶，她對皺紋的正向思考令我動容，也給我很大的啟發與提醒：「原來可以這樣看待皺紋啊！每一條皺紋皆無比珍貴，因為其中各自蘊藏著生命裡每一個動人時刻的記憶。看來是無須擔憂老時皺紋一條條浮現在臉上了，那可是歲月留下的美麗印記哪！」

我決定在臉上出現皺紋前，好好生活，好好為他日終將浮現的皺紋收藏人生中各式各樣迷人片段與燦爛時光。待走向年邁之時，我將細數臉上這一條條紋路給兒孫們聽，告訴他們我這一生走過的痕跡，那時我將會是皺紋裡有滿滿美麗記憶、心靈也富足無比的老婦人。

生老病死，人生必經。好好活在每一個當下，不憂不懼，讓此生無憾吧！

看一看其他好書

　　傳達正面老人形象的繪本所在多有，我還想再推薦兩本給大家。一本是《Nana in the City》，另一本是《Emma》。《Nana in the City》裡頭的奶奶可不是傳統老派、思想原地踏步的老人，相反的，她的心很年輕，願意學習，願意讓新的人事物進來她的心裡，生活過得活力滿滿、熱情洋溢，我愛極了如此陽光的老人形象。而《Emma》裡的艾瑪奶奶也提供了非常活潑、富有創造力的老年形象，讓我們看到人老了，身體機能走下坡，但心靈生活一樣可以過得富足、精彩，這般的老年生活是我所嚮往的啊！

翻攝自：Star Child

文 · 圖：Claire A. Nivola
出版社：Farrar, Straus and Giroux (BYR)
出版日期：2014. 05. 06

25
Star Child
當你回顧此生

 聽一聽這則故事

　　在浩瀚的宇宙裡，有一顆星星，上面住了一個星星小孩。他最愛看著遠方那有著藍色海洋和綠色大地的星球，總渴望能到那兒探訪。

　　大人們對他說：「你現在是無形且永恆的，但如果要到地球去，首先必須誕生成為人類的孩子。」

　　大人們還說，到了地球後：

　　「一開始你需要學習如何使用新的身體，學習使用雙手、雙腿，學習站立、走路和跑步，學習說話……好一陣子後，你才能一點一點的學會照顧自己。」

「地球上充滿色彩與聲音，也存在著各種你意想不到的生物。在我們的星球，一切寧靜祥和，不斷重複相同的事情；但地球跟這裡不同，所有的事物都一直在變化。」

「你將投入地球的時間之河裡！將會嘗到各式各樣的感覺，像是愉快、恐懼、失望、傷心和驚嘆。」

「在困惑與喜悅裡，你將忘了當初來自何方。你會長大、出門遊歷和工作，也許你會有小孩，甚至有孫子也說不定。」

「多年之後，你會想從悲喜交集的一生中理出頭緒、找到其中的意義。而當必須返回原有星球的那一刻，要向那有著奇異之美的世界告別也許很艱難。所以，在決定去地球之前，好好想清楚吧。」

星星小孩細細聆聽大人們的一言一語，噢～他是如此想到地球走一遭啊！於是他去了，並且發現大人們所言不虛，原來他們也都曾探訪過地球！

如果你問星星小孩：「你歡喜曾到過地球嗎？」，他會毫不遲疑的回答：「是的。」

 讀一讀繪本原汁原味的英文

But ask him now if he is glad he went, and "yes" he
will tell you.
"Yes."

現在問他是否很高興他去了地球，他會告訴你「是的」。
「是的。」

　　這是繪本的最後一句話，描述星星小孩到地球走了一遭後，
再回到初始的地方。他一點也不後悔選擇了拜訪地球，並對於有
機會經驗人間的悲歡離合，感到歡欣。

想一想繪本的內在訊息

　　親愛的，你現在走到生命的哪一個階段呢？是否正青春，正試著以開放的心胸，積極學習新事物、放膽嘗試新挑戰？還是已走進婚姻，正學習如何與另一半和諧相處？或是有了自己的孩子，正在育兒的過程中忙得焦頭爛額、心力交瘁，但還是努力打起精神，繼續在為人父母的路上奮力前進？抑或和我一樣，來到不惑之年，上有兩老要奉養，下有兩子要照顧，身感責任重大，而除了必須擔負的家庭責任之外，心裡對下半輩子的生活仍滿懷盼望與夢想？再或者，你已步入老年，開始回顧此生，想從這數十載的人生中，確立自己存在的價值與意義，也很想在離開人世前，留給世間多一些喜樂美好，供在世的人回味、想念？

　　雖然尚未走到暮年，但已經四十好幾的我，開始時而會回想起自己的前半生，偶爾會對年輕時曾做過的一些事感到羞赧、懊悔，但轉念一想，也就釋懷了，畢竟就是因為曾遇過的那些人和經歷過的那些事，才形成如今的我啊！所有過去的一切，都滋養著我，使我更有智慧、更知道如何去應對人生的風暴與難關，也更能以平常心去看待起起落落。我感恩過去的自己，也感恩過去曾在我生命留下或淺或深足跡的人事物，更感恩上天賜予當下這一刻的幸福平安。

當你回顧此生，更要將生命活得精采。

從此時到離開人世的這段期間，我會過得如何？會與哪些美好的人事相逢，又會遭遇哪些難處？我無從預知，也不想預知。如果人可以預知往後會發生的事，一切都照著預知的路線走，未免太無趣、太無聊了，我想要精彩、不可預期的人生，即使膽小如我，面對未知，會有懼怕、會惶惶不安，也不要有人預告我接下來的生命路程會怎麼走，我要自己一步步去體驗、發現！

生命無常，不知道哪一天將畫下句點，我能做的也真心想做的，就是如同現在這般一直努力保持正向信念，認真且歡欣的度過每一天。對這世界用心過、用情過，就問心無愧、無所遺憾。祈願我能像這個故事裡的星星小孩，從地球回到初始的地方時，有欣喜、有滿足，不後悔來地球走這麼一遭。

閱讀《Star Child》，讓我聯想到《走進生命花園》（米奇巴克出版）。這本繪本的原文是法文，描述一個孩子坐在他的島上，遠遠望著地球。地球上有戰爭、有污染、有自私和貪婪、還有憂傷的眼淚，但最後他還是決定誕生於地球。繪本最後一個畫面是，一位媽媽懷抱著剛出世的小嬰孩，令人動容。

是不是因為這世間雖然不盡完美，有諸多的殘酷與悲慘不幸，但還是充滿著希望、夢想與改變的可能，所以我們還是願意來地球走一遭、經驗生命的酸甜苦辣？既然來了，就好好的過活吧！

翻攝自：The Heart and the Bottle

文‧圖：Oliver Jeffers
出版社：Philomel Books
出版日期：2010. 03. 04

26
The Heart and the Bottle

當你處於難以招架的傷痛裡

 聽一聽這則故事

　　從前有個小女孩，她對萬事萬物都有著滿滿的好奇心。爺爺總是陪她一起看書，用想像力探索這個世界。小女孩喜歡天上的星星，幻想著神秘的大海，她和爺爺每天一起發現一起分享有趣的新事物。

　　然而，有一天，爺爺常坐的那把沙發椅空了！爺爺不見了。小女孩的整顆心頓時像沙發椅一樣變得好空虛……她決定把她的心妥善的放入一個瓶子裡，並把這個瓶子戴在脖子上。她想，這樣她的心應該……應該會安全一些，這樣，她的心應該就不會搞丟了？不會再那麼難過了？

　　但是，把心封閉在瓶子裡後，小女孩變了。她的熱情不見了，她不再關心星星，大海對她來說，再也沒有吸引力。日復一日，

年復一年，小女孩長大變成了女人，每天無感的生活著。掛在脖子上的瓶子好像越來越重，礙手礙腳的，但至少，她想：「心，好像很安全啊。」

　　就這樣，好久好久好久，她從沒想過要把心從瓶子裡拿出來，直到有一天，遇見一個對生命充滿無比好奇的小小女孩。小小女孩問了她一些問題，但她怎樣都回答不出來。她想好好回答問題，想開心的和小小女孩一起玩，但她知道了，她得先做一件事——把她的心，從瓶子裡拿出來。

　　用盡了各種方法，她的心就是卡在瓶子裡，怎麼都拿不出來，她甚至從高處將瓶子摔下來，但瓶子連條裂痕都沒有。這時，她突然萌生一個念頭！或許這個對世界還充滿好奇與想像的小小女孩，有辦法把心取出來。

　　果然，小小女孩不費吹灰之力，將小小的手伸進瓶子裡，很輕易的便將心拿了出來，交給女人。經過了漫長自我封閉的生活，女人終於把心放回原本的位置，她坐在爺爺以前經常坐的沙發椅上，盡情的在書的世界裡遨遊、探索。她的心，不再空虛，不再害怕受傷，她重新恢復了擁抱世界的能力。

讀一讀繪本原汁原味的英文

The bottle couldn't be broken. [...] But there, it occurred to someone smaller and still curious about the world that she might know a way. And it just so happened...she did. The heart was put back where it came from.

那瓶子打不破。……但那兒有個對這個世界充滿好奇的小小孩，而她可能知道怎麼做。一切就這麼發生了，她成功拿出來了。那顆心回到它本來的地方。

這段文字描述的是女孩不管怎麼試，瓶子就是打不破，就是無法將她的心從瓶子裡拿出來。封閉太久了，想重新敞開心扉還真是很不容易啊！在時間這個神奇魔法師的長久療癒下，失去爺爺的悲痛之情已然漸漸淡化，此時當她有幸與對世界還充滿熱情的純真小孩相遇，便來到了生命的轉捩點。小孩的天真無邪讓她自然的卸下心防，小孩對天地探索的熱忱亦喚起了她曾經熱愛生命的幸福記憶。

想一想繪本的內在訊息

　　這個故事並沒有明說爺爺去了哪裡，但我們隱隱約約感覺得到，爺爺的離開，應是去了天堂。面對至親的死亡，是一種難以承受的「失去」，而在我們的生命裡，「失去」還會以不同的方式出現，比方說，失去一段在心裡頗具份量的戀情、失去一個曾經相知相惜的朋友，或是失去一個長久以來用心呵護、澆灌的夢想。面對人生中各種型態的「失去」，心會受傷，心會流淚，尤其當失去的是我們心頭萬般在意的人或物時，那種傷痛是未曾親身經歷過相似體驗者所難以理解與感同身受的。處在無法向人言說的巨大痛楚裡，你會不會像故事中的女孩那樣選擇將心牢牢的關閉，讓自己不再去愛、不再去感受？因為你相信，當你不再對人、對物付出情感，不再擁有細膩的感受力，你的心會很安全，至少不會再受到任何傷害。

　　至今，我面對過兩次痛徹心扉的失去。一次是心愛狗兒的老死，一次是青春戀情的逝去。這兩次的失去都為我帶來一波又一波猶如排山倒海而來、止也止不住的淚水。有好長一段時間，只要一想起我的狗兒，眼淚就會不由自主的撲簌簌落下，無法再相見的事實多麼殘酷，讓人難以承接。我好想再輕柔的撫摸牠細軟的毛、好想在冷冷的天裡再和牠一同窩在棉被相互取暖、入眠，好想再看牠猛搖尾巴並蹬著兩隻後腿跳啊跳，要我抱牠入懷的可愛模樣，然而這一切都已不可得，我只能癡癡的盼望偶爾牠願意入我夢裡來。而那段曾自以為刻骨銘心的愛情消逝時，也為我帶

想當年小時候和奶奶
一起上市場。

如今長大了，奶奶走了，就
繼續將這份愛傳遞下去吧。

來極大的失落與悲傷，甚至一度升起輕生的念頭，那時傻傻的想：「沒了他，我的心都空了，有什麼好活？」當時，心如一灘死水，像極了行屍走肉，我不再憧憬愛情，也不想再花力氣尋覓下一個情人。愛情對我來說太耗費心力，我可不想再重頭來過，更不想再被另一段戀情所傷，我選擇關閉心扉，不讓他人進來，我也完全不想走出去。

如果你問我：「後來呢？」我會說：「時間是治療傷痛最好的藥。」你無法叫一個還在經歷莫大痛楚的人一定得馬上振作起來、好好過活，這太殘忍，也太強人所難。就像故事裡的女孩表面上看來是因為遇到了那名純真好奇的小孩而得到救贖、心境有了美好的轉變，但要是沒有經過之前時間點點滴滴的緩緩療癒，要是小孩在女孩的爺爺離去不久便出現，那時女孩的心正痛著、苦著啊，小孩的到來未必能夠為女孩的生命帶來多深的撫慰或啟發。

無可否認，小孩的確是人間至寶，與小孩同在常能帶給我們大人歡笑與活力，小孩確確實實能協助我們治癒心裡的傷。然而，時間是更為神奇的魔法師，在時間之河裡，再大的傷都有機會慢慢撫平。如果你正處於難以招架的傷痛裡，請別急著走出來面對人群強顏歡笑，給自己時間好好面對悲傷，也許是好幾個月，也許是好幾年，都沒有關係，相信撥雲見日的那一天會在前方等著你。

看一看其他好書

此書有中譯本，書名為《害怕受傷的心》，格林出版。

第六帖藥方

名醫諮詢：終將面對的生命歷程

221

翻攝自：Choose Your Days

圖、文：Paula Wallace
出版社：Cinco Puntos Press
出版日期：2016. 04. 12

Cover and interior image from Choose Your Days, by Paula Wallace,
Copyright 2016. Used by permission of Cinco Puntos Press.

27
Choose Your Days
當你懼怕生命終有盡時

 聽一聽這則故事

老熊（Old Bear）是「時間之鑰」的掌管者。

Corky 出生時，老熊給了她一份日曆，這份日曆涵蓋了 Corky 這一生所有的日子。同時，老熊還給了 Corky 一份空白表格，請 Corky 寫下夢想清單與待辦事項。

牆上掛了許多把標明名字的鑰匙，老熊從中挑了一把給 Corky，輕聲對她說：「好好過生活，妳可以選擇過得樂觀快活或陰鬱灰暗。」

接下來，像是按下快速播放鍵似的，四個連續頁面呈現出 Corky 騎在自行車上，從稚齡，騎到了少女時期，騎到成年，騎到了 Corky 的老年。

　　時光匆匆逝去，Corky 背駝了，髮也白了，但她想做的事還多著哪！表格上還列著滿滿的待辦事項和夢想清單等她去完成。於是 Corky 拿著裝有銅板的小錢包去找老熊，懇求老熊再給她多一點時間。她還有沒完成的工作，沒來得及盡情享受的玩樂，還有好多沒能好好吟唱的歌啊！

　　老熊傾聽完 Corky 的請求，說：「好吧！」並溫柔的提醒她：「好好善用妳的時間之鑰。好好過生活，妳可以選擇過得樂觀快活或陰鬱灰暗。」最後又說了：「當妳盡情玩樂過了，想唱的歌都唱了，想遊歷的地方都去了，工作也完成了，請來到那黑漆漆的小屋，把門打開吧！那扇門會帶妳通往驚奇。別怕，我會在那裡等妳。」

　　故事的最後一個畫面沒有文字，只看到駝背的、小小的 Corky 拄著拐杖，與龐大身形的老熊相偕走向深藍星空。

When she was born, Corky was given calendars for all of her days by Old Bear, keeper of time and keys.

當她出生時，Corky 從掌管「時間之鑰」的老熊那裡拿到了包含她這一生每一個日子的完整日曆。

　　這句話說，掌管「時間之鑰」的老熊，在 Corky 一出生，便給了包含她這一生中每一個日子的一份完整的日曆。

　　一輩子過得再長，也終有盡時。日子一天天的過，日曆一張張的撕，年輕時以為生命的盡頭還很遙遠，不在乎大把大把揮霍光陰，但當歲月流逝，手上握有的時間越來越少了，這時候你焦不焦慮、害不害怕？

　　不管你正年輕，還是走在中壯年階段，或是已來到暮年，我們要做的都是把握當下，好好過活。願你我在每晚睡前撕去當天日曆之時，不會感到虛度了美好的一天。

想一想繪本的內在訊息

也許早在出生之際，這一生會有多少時日就已經確定了，只是我們不知道而已。但不知道是好的，才不至於懷著恐懼度日，每天惶惶不安的數算著與死期還相隔多少距離。

不過，雖然無法預知生命的盡頭在何年何月何日，然而生命終有盡時卻是清楚知曉且無法躲開的。在死神伸出手，邀請我們走向廣闊無垠的神祕星空之前，你打算怎麼過這一生？渾渾噩噩、吃飽喝足、不假思索的一天過一天？還是有許多待辦事項和夢想清單想要一一實踐？

對於死後的世界，我們存在著各種不同的想像：期待往生後可以進入離苦得樂的天堂或極樂世界；或許也嚮往來世，盼望能有比今生更美好的旅程。雖然這些想望帶給我們寄託與安慰，但，不該只看向摸不著邊際的他方，而該把握當下的每時每刻啊！畢竟，我們無法確知天堂或來世是否真實存在，但可以決定要不要讓此生過得無憾。當帶著無憾來到生命的盡頭，才會心甘情願的跟著象徵死亡的老熊往前走，走向生前一直無法探知的死後。

是不是可以讓每天瑣碎的待辦事項少一些？為自己列一張夢想清單，去想想哪些事是臨終前沒做會後悔的，就趕緊提起行動去完成吧！也許是向某人表達情意，也許是與家人和解，也許是環遊世界，也許是書寫一本擱置心頭已久的書，也許是到偏鄉貢獻心力，也許是給予孩子足夠的陪伴時間與陪伴的心意……。不管此生還剩下多少時日，珍惜現下準沒錯。夢想不能只放在心底，

我們無法預料哪一天死神來臨，但仍要過好有意義的每一天。

放在心底的夢想不是夢想，是空想，是白日夢。甩掉惰性，掙脫自己給自己的限制與羈絆，積極的追夢去吧！築夢踏實的人生將會是無悔的人生，不用等待來世，我們這一世就要演出一場好戲來。

　　如果此生已經盡力了、無憾了，就別懼怕死神的降臨。死神不是齜牙咧嘴、準備來吞噬我們的龐大怪獸，也不是斷定我們一生功過、嚴厲無情的審判官，而是我們的朋友，祂帶來恩澤，讓我們得以從人生種種苦痛中獲得解脫。如果你還是害怕從生到死、從有到無的死亡過程，推薦你閱讀《好走：臨終時刻的心靈轉化》，這本書給我非常溫暖的心靈撫慰，讓我數度落淚不止。作者凱思林・辛（Kathleen Dowling Singh）在前言便說了一段極為觸動我心的話：「死亡很安全，你很安全，你所愛的人也很安全。這本書要傳達的就是這一點。請記得你很安全。這本書裡的字字句句就是要讓你的心明白，你很安全。」

　　是啊，咱們都別怕別怕，想想，有慈祥和藹的老熊來迎接的死亡是不是很溫暖、很令人安心呢？所以啊，好好享受活著的每一時每一刻，也平靜無懼的面對死亡，因為在死亡裡我們沒有任何危險，一切都會很安全。

看一看其他好書

1. 《好走：臨終時刻的心靈轉化》，心靈工坊出版。

2. 《Life and I: A Story about Death》這本好美的繪本談的也是生死議題，故事的敘述者是死神本身，死神親身告訴人們祂之所以必須存在的理由。祂帶領我們了解，探究死亡的意義便是在探究生命的價值，生與死比鄰而居，相互偎依。死神在故事的末了悄聲對我們說：「倘若你真的怕我，好好的去愛吧，愛可以轉化憂傷與仇恨，愛即使遇見我也不會消逝。」

   愛，是一切的答案。

翻攝自：Just Like Heaven

圖、文：Patrick McDonnell
出版社：Little, Brown Books for Young Readers
出版日期：2006. 10. 4

28
Just Like Heaven
當你嚮往天堂

📖 聽一聽這則故事

　　一天，小黑貓 Mooch 在最喜歡的一棵大樹下睡午覺，這時～一陣濃霧輕輕緩緩的飄來，把所有東西，包括 Mooch 團團圍住。Mooch 醒了，「哇！什麼都看不見？！！」。Mooch 心想：「這是哪裡啊？難道……是天堂？我一定是到了天堂啦！」

　　Mooch 好困惑，「在天堂該做些什麼好呢？」在樹下坐了一會兒後，Mooch 決定出發去探險。

　　Mooch 的貓爪感受到露珠的冰涼，鼻子聞到空氣的清香，耳朵聽到令人心曠神怡的天籟，「耶！真是好地方。」。Mooch 繼續走啊走，經過滿是孩童歡笑聲的遊戲場，也遇見面帶笑容、親切友善的人們，然後牠停在自家門前，看著窗戶裡有著自己最最親愛的家人，Mooch 讚嘆：「原來天堂就是這個樣子啊！」

Mooch 繼續在「天堂」裡走啊走，「啊！一隻被拴著的大狗～」，「汪！汪！汪！」大狗充滿敵意的朝 Mooch 直視並大吼。如果是以前，Mooch 鐵定會嚇得立刻跑走，但此刻轉念一想：「現在是在天堂呢！應該有不一樣的做法吧？」於是，Mooch 敞開雙臂，說：「抱抱。」擺出擁抱的姿態，大狗放下了戒心，與 Mooch 來了個溫暖無比的擁抱。Mooch 好開心：「天堂真是太棒啦！」

探險好累呀！Mooch 回到最喜歡的樹下，打了個小盹兒。濃霧漸漸的散開了，陽光照耀，Mooch 醒來，發現最好的朋友小狗 Earl 就在身邊睡得正香呢！Mooch 看著 Earl，感覺真美好，「哇，就像在天堂一樣啊！」。

讀一讀繪本原汁原味的英文

Mooch awoke to find his best friend, Earl, sleeping under their favorite tree. Wow, thought Mooch. What a great place. Just like heaven.

Mooch 醒來發現他最要好的朋友 Earl 就在他們最喜歡的樹下睡著。「哇,」
Mooch 想。「多棒的地方啊,就像天堂一樣。」

　　Mooch 一覺醒來,發現最要好的朋友 Earl 就在身邊甜甜的睡著,覺得好幸福,心想:「多棒的地方啊,就像天堂一樣。」

　　天堂從不在遙不可及的他方,有親愛家人和好友相伴的當下,就是天堂。

想一想繪本的內在訊息

讀這個故事，讓我聯想到美國詩人 Emily Dickinson 的一首詩：

Who has not found the Heaven—below—

Will fail of it above—

For Angels rent the House next ours,

Wherever we remove—

（一個人在地上找不到天堂。

到天上去找也是白忙。

因為天使就住在我們的隔壁，

不論我們走到何方。）

★中譯部分為潘人木女士翻譯。

生命的每一刻都如天堂般美好。

　　如果你嚮往天堂，來讀讀這本繪本和這首詩吧！死後的世界會如何？天堂是否真實存在？天堂長什麼模樣？我們只能用非常有限的認知去揣摩、想像。與其把眼光放在遙不可及的他方，不如好好看看此時此刻生活的所在。

　　別盡看人情的世態炎涼，或世間的醜陋邪惡與不公不義，讓我們懷抱著感謝的心，多看周遭人事物美好良善的一面吧！帶著喜樂感恩、珍惜的態度，細膩的去感受這世界的點點滴滴，我們將會發現即使是路旁毫不起眼的小花小草也無一不美；即使是看似面惡、難以親近的人們，也有隱藏在內心真善美的情意。

　　對目前的生活不滿？有滿滿的牢騷抱怨？該做的不是癡癡的空等一個「美麗新世界」的到來，「美麗新世界」不會就這麼奇

蹟似的降臨身邊。或者該用心想想：「能夠怎麼調整我面對人生的心態，好讓生命有機會變得不一樣？」

不用等死後才上天堂或進入極樂世界，其實眼下就有置身天堂的機會，端看願不願意改變自己與這個世界互動的方式。就像故事裡，Mooch 遇見兇狠狠的大狗對牠咆哮，如果依之前的慣性反應，Mooch 會立刻嚇得逃之夭夭。但一個轉念，Mooch 主動表達友善之意，大狗接收到了，卸下了心防與武裝，與 Mooch 擁抱示好，多麼令人感動啊！

只要從己身做起，試著改變原先與人事物互動的態度與模式：多帶著欣賞、讚嘆的眼光看這個世界，多帶點微笑展開每一天，多主動向人釋出友好，多珍惜與親愛家人相處的時光，多對人說些誠心誠意的好話，多賞識他人的優點與長處，多伸出援手給人溫暖的協助。如此，這世界慢慢的在我們眼中將會越變越可愛美麗，越變越適合人居。此時何須嚮往存在於虛無縹緲之處的天堂，此時此地若感到幸福快樂，就是天堂。

這本繪本的作者 Patrick McDonnell 已出版不少本膾炙人口的好作品，除了本書另一篇名為〈當你感到生命一團糟〉的文章有介紹到的《A Perfectly Messed-Up Story》之外，我再推薦這本《The Gift of Nothing》給大家。這本繪本也是以小貓 Mooch 和小狗 Earl 為主角，探討「送禮」和「友情」兩個主題，文字簡短卻發人深省，很適合當禮物書送給親愛的家人或好友啊！

第七帖藥方

愛是萬靈丹

翻攝自：Extra Yarn

文：Mac Barnett ／圖：Jon Klassen
出版社：Balzer + Bray
出版日期：2012. 01. 17

29
Extra Yarn
當你不吝於分享

 聽一聽這則故事

　　有個小鎮，舉目所見不是白雪皚皚，就是黑漆漆的煤灰。小女孩 Annabelle 在一個寒冷的午後撿到一盒裝滿各種顏色的毛線。

　　Annabelle 為自己織了一件毛衣，織完後還有多餘的毛線，又為她的狗兒織了一件毛衣。Annabelle 發現毛線似乎怎麼都用不完，於是繼續幫鄰居、老師、同學、爸媽和小鎮上所有居民都織了溫暖的毛衣，除了 Crabtree 先生例外。不管再冷的天，Crabtree 先生從不穿毛衣也不穿長褲，他對 Annabelle 說：「不用織毛衣給我，謝謝。」所以 Annabelle 改織了一頂保暖的毛線帽送給 Crabtree 先生。

　　Annabelle 再為所有的貓、狗和其他動物織毛衣，大家想，用了這麼多毛線，毛線應該不會有剩了吧？結果毛線仍是用之不竭。Annabelle 繼續為小鎮的房子、郵筒等通通穿上毛衣，整個小鎮因 Annabelle 和她的神奇毛線而煥然一新，色彩紛呈。

　　Annabelle 的神奇毛線故事慢慢傳開，大家都慕名而來。一天，一位來自遠方的王子和 Annabelle 談條件，他說：「我想買妳那盒裝有神奇毛線的盒子，我願意付一百萬元。」Annabelle 一點也不為所動，不管王子把價碼往上加到多高，Annabelle 不賣就是不賣。

　　為了得到神奇毛線，王子不擇手段派遣三名強盜，趁夜深人靜，潛入 Annabelle 家偷走毛線盒。帶著好不容易到手的毛線盒返回城堡後，王子打開盒蓋，赫然發現盒裡半條毛線也沒有，盛怒之下他把盒子往窗外扔進大海，並詛咒 Annabelle：「妳絕不會得到幸福！」

　　盒子在海上漂啊漂，竟漂回了小鎮，巧合的回到了 Annabelle 手上。於是 Annabelle 快樂的織啊織，繼續和整個小鎮分享怎麼也用不盡的五彩繽紛。而 Annabelle 有沒有受到詛咒變得不幸呢？當然沒有！

 讀一讀繪本原汁原味的英文

"She made sweaters for all the dogs, and all the cats and for other animals, too."

她幫所有的狗織了毛衣，也幫所有的貓、所有的其他動物織毛衣。

　　Annabelle 真是個好有愛的女孩，她不僅把擁有的分享給人們，也分享給其他動物。怕動物們受寒，也為牠們織上溫暖的毛衣，我喜歡故事裡傳達「眾生平等」的善美想法與心意，也期盼我們都能懷抱這樣的良善，祈願他種動物遭到迫害、虐殺不再、被視為娛樂亦不再。同樣皆為生命體，我們愛護動物就要像愛護自己。我們選擇仁慈同理抑或冷酷無情面對他種動物，將說明我們人類文明層次的高低。

Annabelle 是不是很棒？她沒把發現的神奇毛線私心收藏，也沒拿它來圖利發財，而是物盡其用，不分遠近親疏，歡歡喜喜、不畏辛勞的為小鎮上的眾人眾物織就一件又一件禦寒的毛衣。Annabelle 讓原本寒冷的小鎮日漸溫暖，而多彩的毛衣也為小鎮增添不少明亮與活力。

　　當 Annabelle 越是不吝分享自己所擁有，毛線越是取之不盡；然而當盒子落入自私貪婪的王子手中，原本 Annabelle 手裡怎麼織也織不完的毛線，竟全消失得無影無蹤。王子憤怒的將空盒子扔向大海，盒子漂回岸邊，又被 Annabelle 撿到時，神奇的毛線又出現在盒子裡了，怎麼會這樣？難道這毛線有隱身術？

　　我從這個故事看到非常美好的人生隱喻。上天賜給我們每個人生生不息的奇異恩典，你越是懷抱感恩的心，越是願意分享你所擁有的幸運與恩典，上天給你的恩典只會越加豐盛，絕對不會

越是分享，上天的恩典越是豐盛。

變少、枯竭，有如神奇毛線般永遠夠你所用。反之，若如故事中的王子那般，只想自私的霸佔，恩典將不會常在，終將離你遠去。願意分享的人，是心靈豐足的人，是內心充滿喜樂平安的人，是得以擁抱幸福人生的人。

而心靈暗黑的王子，不懂分享也罷了，竟還在貪婪的慾望無法滿足之際，詛咒他人無法擁抱幸福。詛咒真能產生效力嗎？我很懷疑。不幸的人應該是詛咒者本身，因為他的心如此陰鬱惡毒，怎可能得到快樂幸福？

上天賜予 Annabelle 神奇的毛線，也一定賜予你我不同的恩典。別說你身邊沒有任何恩典存在，別說你是被上天遺棄的人。張開心眼去感受、去感謝，你一定會發現，在每日看似尋常無奇的生活中，我們全都因著上天給予的奇異恩典而平安活到此時此刻。願我們都能懷有 Annabelle 這般溫暖、不吝分享的胸襟，讓大家一起得到幸福，如是「共好」的世界值得我們齊力創造與實踐。

看一看其他好書

此書有中文版，書名為《神奇的毛線》，小天下出版。

翻攝自：Grandpa's Guardian Angel

文 · 圖：Jutta Bauer
出版社：Walker Books Ltd
出版日期：2015. 01. 01

30
Grandpa's Guardian Angel
當你忘記發自內心感恩

 聽一聽這則故事

　　小男孩的爺爺喜歡說故事，每當小男孩去探望爺爺，爺爺總愛說過去的事給他聽。

　　爺爺回憶起小時候，每天早晨穿越廣場上學，廣場中央有一座天使雕像，因為總是匆匆趕往學校，他從未駐足留意這座雕像。

　　爺爺說他這一生：童年無憂無慮、不知天高地厚；長大後則必須面對戰爭的殘酷、飢餓的折磨和乞討的悲苦。後來，戀愛了，與心愛的女子共結連理，當上爸爸，蓋了房子，買了車。後來的後來，他還當了爺爺，有了一個可愛的小孫子，也就是小男孩。

　　爺爺回顧此生，覺得一切是那麼美好，他一直都好幸運好幸福。帶著感恩的心，爺爺闔上眼，結束了一生。

爺爺不知道的是，其實從他的小男孩時代起，廣場中那座雕像上的天使便一直形影不離的跟隨他、保護他。他能多次逢凶化吉、化險為夷，全是因為天使的仁慈守護啊！而爺爺離開人世後，這名天使並未消逝，祂繼續無時無刻的庇護著爺爺的小孫子呢。

我們一出生就受到天使的眷顧。

 讀一讀繪本原汁原味的英文

"All in all, it's been a good life, even if at times rather strange. I've been lucky."

總而言之，這是美好的一生，即使有時候過程很奇怪，但我一直是幸運的。

這是故事中的爺爺闔眼長眠前對此生回顧的總結。簡單的話語道盡他的感謝，感謝自己一直很幸運，感謝自己擁有美好的一生。人生的這齣戲，他圓滿的演出完畢，在感恩與心滿意足中，平靜的離開人間，下台一鞠躬。

是不是人臨終時，這一生經歷的種種會快速的在腦中播放一遍？願你我在回首過往的人生歲月時，也能像故事裡的爺爺，平靜而感恩的對自己說：「這是我走過的人生，即便有風有雨、有坎坷、有波折，但我對我能夠一直一直那般幸運，充滿感謝。我此生無憾，感謝上天，感謝眾人，賜給我如是平安幸福的一生。」

這本繪本的插畫說了很多文字沒傳達的部分，文字主要由爺爺的視角，來回望爺爺有甘有苦的一生，然而閱讀插畫我們方知，爺爺這一生其實屢屢遭逢危機，之所以能平安度過，全是因為有一位天使隨身守護，要是沒有天使的庇護，爺爺恐怕無法每每從危險中安全脫困啊！

　　這個故事讓我聯想到台灣繪本創作家劉旭恭先生寫的《五百羅漢交通平安》，描述阿嬤為了心愛的小孫子到廟裡求了一張平安符，上頭寫著「五百羅漢交通平安」，從此一直戴在小孫子脖子上。五百羅漢總是在小孩身邊保護他，確保他的安全。小孩多次遇到危險：掉下懸崖、搭飛機遇到強烈亂流、坐船遭遇大海嘯等，全是因為不斷有羅漢犧牲自己、奮力保護小孩，小孩才能平安長大成年。原有的五百名羅漢，到最後僅剩一名。僅存的這名羅漢在一次火車出軌起火時，挺身守護，不讓猛烈的火勢傷及小孩。祂苦撐著，不讓自己倒下，及時救出已然長成少年的孩子，但羅漢自身終究還是灰飛煙滅，令少年不禁淚流滿面。

　　當你忘記發自內心感恩時，讀一讀《Grandpa's Guardian Angel》或是《五百羅漢交通平安》吧！這兩本書都讓人深深感悟到，能一路平安走來，是因為有多少天使、多少人在默默守護著我們啊！每日看似平凡的生活，好像沒什麼值得感謝，但細想，我們每天能正常吃飯、走路、睡覺和談笑，並非理所當然、天經地義，這些都是上天的庇佑與恩澤，如果沒有這些恩澤，我們或

許無法平平安安活到今天。

面對這些數不盡的恩典，我們能做的便是心懷感恩，並問自己是不是也可以在他人的生命裡扮演守護者的角色，為他人的幸福盡份小小的心意？

一向覺得自己是個被愛包圍、很有福分的人，我的生命走到這裡，一直有親愛的天使、家人和朋友在我身邊守護，給我支持與力量，而我亦深切的反省，有沒有珍惜這樣的福分，進而懷著感恩的心情也盡力帶給他人幸福？慚愧的是，我目前給出的幸福似乎比別人給我的幸福來得少，而且少很多哪！身為國中教師，我期許自己不僅當自己孩子的天使，也要當學生的天使，盡力守護自己的孩子與學生，在我能力可及的範圍，為孩子、學生、家人、朋友及其他與我照面的人創造幸福。如果你願意，我們一起朝這個方向努力，好嗎？

 看一看其他好書

1. 此書有中譯本，書名為《爺爺的天使》，三之三出版。

2. 《五百羅漢交通平安》，劉旭恭 著，親子天下出版。

翻攝自：Somebody Loves You, Mr. Hatch

文：Eileen Spinelli / 圖： Paul Yalowitz
出版社：Simon & Schuster Books for Young Readers
出版日期：1996. 01. 01

31
Somebody Loves You, Mr. Hatch
當你知道有人愛你

 聽一聽這則故事

Hatch 先生每天過著一陳不變的生活，不太與人有所互動。

某個週六，他從郵差先生手中收到一份大包裹。打開包裹一看，一個心型的大盒子裡裝滿了糖果，內附一張白色小卡，上面寫著：「有人愛你。」突然，他想到這天是情人節。

Hatch 先生想啊想：「到底是誰送的呢？」他一向很孤獨，一個朋友也沒有，可是竟有人送他情人節禮物！他內心充滿問號：「究竟是誰送禮物給我？」

但，他轉念一想：「天哪！有人偷偷愛慕我耶！」頓時超開心的，做了他從沒做過的事：開懷的大笑、跳舞和拍手，然後吃了盒子裡的一顆糖。

從此，Hatch 先生的生活有了一百八十度的大轉變，他開始穿亮色的衣服，主動和大家打招呼，還將那一大盒糖果與同事們共享，並自告奮勇協助需要幫忙的鄰居，甚至準備了布朗尼蛋糕和檸檬水，歡迎社區裡的大人、小孩一起來他家後院同樂，他吹著口琴，大夥兒歡樂的跳起舞來。

就這樣連續好幾個禮拜，Hatch 先生都非常的快樂，不是在幫助他人，就是在自家庭院舉辦派對，都忘了原本打算找出是誰送給他禮物。

有天下午，郵差先生來敲門，他深呼吸了一下，很不好意思的對 Hatch 先生說：「之前那個包裹我看錯地址了，是要送到另一戶人家的。」

Hatch 先生深受打擊，心情霎時跌落谷底，他嘆了口氣：「唉，終究沒有人愛我。」

Hatch 先生又回到了往昔固定的生活模式，鎮日垂頭喪氣，不再對人微笑，不與人說話，每個人都好納悶 Hatch 先生到底怎麼了？郵差先生把送錯包裹的事告訴大家，社區裡的人一想到 Hatch 先生這陣子對他們的好，決定給 Hatch 先生一個大驚喜。

週六早晨，大夥兒一同來到 Hatch 先生家，送上了糖果和一把新口琴，更教 Hatch 先生感動的是，大家高舉一面長長的布條，布條上頭寫著：「每個人都愛 Hatch 先生！」

Hatch 先生喜極而泣，他知道自己不寂寞，終究有人愛他。

讀一讀繪本原汁原味的英文

"Why, I've got a secret admirer! And then he did something he had never done before: He laughed. He laughed and danced and clapped his hands."

哇，我有秘密仰慕者哪！接著他做了他以前從未做過的事：他笑了。
他又笑、又跳舞、又拍手。

　　這段文字描述 Hatch 先生收到神秘禮物時喜不自勝的心情。

　　當你知道有人愛你，是不是也會像 Hatch 先生那樣歡喜？感受到被愛，是件好幸福好幸福的事，「被愛」讓我們的生命充滿了意義，不再感到孤寂。

　　如果你感受到被愛的美好，也請將你的愛傳遞出去，讓更多人和你一樣沐浴在愛的陽光裡。

被愛是一種幸福的感覺，不管是在親情、愛情或友情中，我們都享受著被愛的美好。被愛，讓我們得到陽光般的照耀、雨水般的滋潤，也有了好好活下去的熱情與勇氣。

然而，人與人之間的交流是互相的，不可能只一味期待被愛，卻吝於付出。別人感受到的若是你的不理不睬、冷漠無情，你卻巴望他對你好、喜歡你，除非他是慈悲滿懷的聖人，否則你很難奢求他付出情意、好好愛你啊！

如果期待有人愛你，就先付出吧！就像 Hatch 先生主動釋出善意、給出微笑與關懷，大家感受到他的親切和善與美好情意，最後當 Hatch 先生情緒低落時，大家便樂意向 Hatch 先生表達他們對他的愛。人世間就是這樣可愛，只要你願意愛人，就會得到更多更多令你感動、令你歡天喜地的愛。

而如果你原本就幸福又幸運，天生就有好多人愛你，享受著父母親的寵愛，享受著朋友給你的溫暖情誼，享受著情人對你的濃情蜜意，這樣幸福的你，是不是也會像 Hatch 先生一樣，把洋溢在心裡甜滋滋的幸福傳遞出去？

我一直很感恩我擁有的幸福，身邊時時圍繞著關心我、愛護我的大小天使們，大天使是親密的家人、友人和同事，小天使是我的孩子和學生。滿懷感謝的悅納眾人給予我的愛之餘，也時常提醒自己，得之於人者太多，也當將自己得到的回報給這個世界，善待身邊的人。不管是熟悉的親友，抑或萍水相逢的陌生人，我

買一束花，送給他人。散播
愛，讓世界更美好。

都期盼自己可以給出真誠的問候、溫馨的關懷和能力許可範圍
內實質的協助。如果我的一個微笑、一片善意、一句暖心的話
語、一個溫柔體貼的舉動，就能讓一個人離幸福更近，何樂而
不為呢？

　　愛不會因為給了出去，而變得匱乏；愛是無比奇妙的東西，
你越是不吝惜、用心卻不刻意用力的給出愛，宇宙中的光與愛
就越是從四面八方向你湧來。

　看一看其他好書

　　這 本《Somebody Loves You, Mr. Hatch》
的文字作者 Eileen Spinelli 另有一本溫馨的作品
值得推薦給大家。書名為《Thankful》，這本書
提醒我們世間有好多好多值得感謝的人事物，別
忘了懷抱感恩的心情來看待這美麗的世界啊！

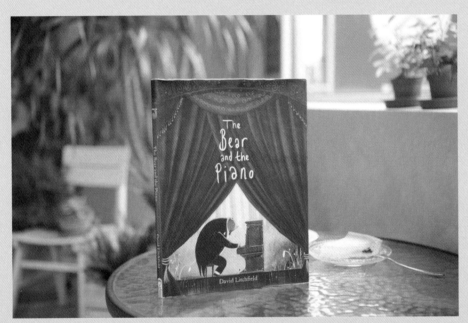

翻攝自：The Bear and the Piano

文‧圖：David Litchfield、Frances Lincoln Ltd
出版社：David Litchfield
出版日期：2016. 04. 05

32
The Bear and the Piano
當你思索人生最重要的事

 聽一聽這則故事

　　有一天，小熊在森林裡發現一架鋼琴，從未見過鋼琴的他心想：「這奇怪的東西是什麼呢？」他好奇的用粗短的爪子碰觸琴鍵，發出的聲響嚇了他一跳！

　　後來的每一天，小熊都會來摸摸這架鋼琴，試著讓鋼琴發出聲音。日復一日過了好幾年，小熊不再是小熊，長成大熊了，也漸漸摸索出彈琴的方法並沉浸其中。每當彈奏起鋼琴，便覺得開心又幸福，琴聲帶領大熊的心離開森林，嚮往著遠方的精采與奇異。

　　沒多久，森林裡的其他熊都被優美的琴聲所吸引，每晚，一群熊聚集在鋼琴前，聆聽大熊演奏動人的樂音。

　　某個晚上，來了一個人類女孩和她的父親，發現大熊在彈琴，在這對父女的說明下，大熊終於知道，原來這奇怪的東西是「鋼琴」，而發出的聲音是「音樂」。

　　這對父女說：「跟我們一起到城市去吧，那裡有種類繁多的音樂，你可以在數百人面前演奏鋼琴，也能聽到觸動你心的各種聲音。」熊心裡清楚，倘若離開森林，其他熊會非常想念他。但他懷抱著夢想，想探索森林以外的地方，想聽更多美妙的樂音，也希望自己的琴藝能更為精湛。於是，他跟著這對父女離開森林，到了對岸的繁華城市。

　　很快的，大熊在鋼琴上的造詣獲得眾人矚目與激賞，他的大型音樂會常是座無虛席。每晚，他以熱情、優雅之姿在爆滿的表演廳裡演出，每每得到觀眾起身不停鼓掌和巨大的讚美。

　　大熊的名氣響徹雲霄，他錄製唱片、接受雜誌專訪、獲頒獎項，所到之處都製造了頭條新聞。

　　大熊實現了夢想，得到了名望，也擁抱了全世界各式各樣的音樂，但內心卻開始感到孤獨，他想念森林，想念老友，想念他的家。

　　於是大熊決定返家。當踏入森林，來到原本鋼琴被擱置的林中空地時，竟發現空無一物！難道，大家早已遺忘了他？或是對他的遠離生氣不滿？

終於，一位朋友出現了！大熊熱情的打招呼，但朋友一句話也沒說，逕自往森林深處跑去，大熊追在朋友身後跑啊跑，竟出現令他感動莫名的一幕：鋼琴被妥善的放在樹蔭下，樹上掛滿大熊的唱片和諸多海報等相關文宣品。原來大家是如此的以大熊為傲，都在遠方默默看著他、支持著他。大熊心裡滿是欣喜感謝，和朋友們分享完城市生活後，在鋼琴前坐了下來，這回，他的琴聲是獻給心中最具分量的觀眾。

The bear realised that no matter where he went, or what he did, they would always be there, watching from afar. They had even kept the piano safe in the shade, ready for his return.

大熊終於明白不論他到哪裡、做了什麼，他的朋友們永遠在那裡，在遠處關懷著他。他們甚至將鋼琴安穩的放在樹蔭下，等待他回來。

　　大熊從大城市返回森林，看到親愛的朋友們為他所做的一切，感動與感謝之情不言而喻。他知道不管他到哪裡、做了什麼，朋友們都在家鄉給予最大的支持，不會因為他的離去而狠心將他遺忘。

　　你有這樣堅強的後援團嗎？也許你的後援團是你的家人或你的摯友，當想到這些人，心頭是不是會悄然升起一股暖意、感到幸福無比？他們給你的是實實在在又細水長流的真心真意，請務必好好珍惜。

想一想繪本的內在訊息

　　這本繪本是作者 David Litchfield 初試啼聲之作，頗有一鳴驚人的力道與氣勢。

　　這個故事小孩會聽得津津有味，因為是個會在孩子心田種下些奇妙種籽的好故事；而大人對照人生經驗讀來，感受必定深刻，更有一番滋味浮上心頭。

　　在你心裡，夢想與家人（或已然形同家人的朋友）孰輕孰重？在實踐夢想和陪伴守護家人之間，你會如何選擇？這真是兩難之選啊！若選擇了陪伴家人，你會為付出的情感與家人給予的真摯回報感到無憾，但夜深人靜，當想到離夢想越來越遙不可及時，也許仍不免失落、遺憾；倘使選擇為夢想高飛，有沒有可能沒有故事裡的大熊那般幸運？返家時發現子欲養而親不待，或是當初沒花時間心力陪伴的孩子，與你的關係十分疏離，想親近、彌補，他也不領情，甚至狠狠的拒絕你？

　　在夢想和守護家人的天秤上，可能取得平衡點嗎？兩者兼顧？

　　中年的我，上有行動不便、多病的父母，下有兩個正需要媽媽好好陪伴與疼愛的孩子，我無法如年輕時在沒有家累的情況下，義無反顧的為夢想啟航，而是必須有所取捨與選擇，盡可能在家人與夢想之間找到折衷點。我在以家庭為重的前提下，以有限的心力與時間努力實踐夢想。然而，當這兩者之間相互牴觸、排擠時，我願意把尋夢的腳步放緩，以家人為優先考量。畢竟對我來

當你衣錦回鄉時，父母總在門口守候。

說，夢想可大可小，當現實狀況不允許實踐大夢想，那成就小小的夢想也行啊！只要腳步是一直朝夢想的方向前進，那就不急，慢慢來吧，築夢踏實的路上每一步皆美好，就算最終到不了夢想的終點站也無妨，我已沿途賞盡好風光。

雖然夢想之於我，有其難以抵擋的吸引力，但家人的地位還是遠遠在夢想之上，我不會遺憾夢想成就得不夠大、不夠響亮，但如果沒有把握當下陪伴家人，他日我定有滿滿的後悔、遺憾。

當思索什麼才是人生最重要的事，我的選擇是家人與健康擺第一，夢想擺第二，這樣的優先次序，是我堅定的決定，我很滿意。

看一看其他好書

這本繪本有中文版，書名為《森林裡的鋼琴師》，維京出版。

翻攝自：A Sick Day for Amos McGee

文：Philip C. Stead / 圖：Erin E. Stead
出版社：Roaring Brook Press
出版日期：2010. 05. 25

33

A Sick Day for Amos McGee

當你以真心相待

 聽一聽這則故事

McGee 先生每天早起，作息規律，搭五號公車前往市立動物園工作。

在動物園裡有好多事得做，但 McGee 先生總會撥空拜訪他的動物朋友們。

他會陪大象下棋（大象每下一步棋，都要考慮好久好久），陪烏龜賽跑（烏龜從沒輸過），陪害羞的企鵝安靜的坐著，也幫老是流鼻水的犀牛擤鼻涕。夕陽西下時，McGee 先生會說故事給怕黑的貓頭鷹聽。

這一天，McGee 先生生病了，渾身不舒服，請假在家休息。

動物們等不到 McGee 先生，決定搭公車到 McGee 先生家探望他。

「哇！你們都來了。」McGee 先生大為驚喜！大象陪 McGee 先生下棋，這回換 McGee 先生思索好久才下一步棋。McGee 先生沒力氣和烏龜賽跑，烏龜提議改玩躲貓貓。McGee 先生累了，想休息一下，企鵝安靜的坐在 McGee 先生的腳上，為他的雙腳保暖。McGee 先生打了個噴嚏，犀牛遞上了手帕。

「我覺得好多了，謝謝你們，我們一起來喝壺茶吧！」McGee 先生提議。

「很晚了，明天一早還要搭公車到動物園呢，該睡覺囉！」McGee 先生提醒，接著一一和大家道晚安，熄燈前，貓頭鷹知道 McGee 先生怕黑，大聲的為他念了個故事。

故事的最後一頁，沒有文字，只見 McGee 先生與動物好朋友們相依偎，幸福安詳的入睡了。

 讀一讀繪本原汁原味的英文

"Ah-choo!" Amos awoke with a sneeze.
The rhinoceros was ready with a handkerchief.

「哈 -- 啾！」Amos 打了個大噴嚏醒來。
犀牛已經準備好一條手帕給他。

　　McGee 先生打了個大噴嚏，犀牛立即體貼的遞上手帕！

　　因為每當犀牛流鼻水時，McGee 先生也總好心的借犀牛
手帕，犀牛感受到 McGee 先生的好意與關心，自然也會在
McGee 先生需要的時候，送上真誠的慰問。

好溫暖的故事！ McGee 先生真心對待他的動物朋友們，朋友們感受到美好的情意，在 McGee 先生生病時，也回報以真心，這正是生命與生命間最暖心的情感交流啊！

人與人之間就是這樣，你對他好，真心誠意的關心他、對待他，他感受到了，自然就會對你好，除非你對他的好，不是他想要的。反之，你對他不好，處處看他不順眼，對他百般為難與挑剔，從沒給他好臉色看，你想，這樣他會喜歡你嗎？他會願意好好和你相處嗎？

我是個不喜歡複雜人世的人，不懂也不想和別人耍心機、勾心鬥角、爭權奪利，我喜歡單純的人際交往，不在乎能夠認識多少人、擁有多少朋友，只想珍惜每個當下與有緣人的照面與交流。虛情假意我做不來，也不想從他人那裡獲得什麼實質的好處或利益，就只是以誠懇的心意去對待家人、朋友、同事、學生和萍水相逢者，至於別人怎麼對我，我無力掌控。他人若也願意真心相待，我感恩，並樂意回報更多；倘使他人漠視我的真誠情感，我亦問心無愧。人說世態炎涼，人情淡薄，但我對人性不灰心，我堅信善良的力量，當真心給出善良、給出愛與關懷，這世界就會變得更溫暖一點點、更可愛一點點、更美好一點點，讓我們一起活在這善美的循環中，讓別人幸福，也讓自己更幸福，你說好嗎？

這一生受之於人者太多太多，而我給出去的相形之下好少好

愛創造人與動物之間美好的共生共存關係。

少，於是總不忘時時勉勵自己，照顧好自己之餘，也要努力的藉由文字、話語與實際行動，為這個世界貢獻小小心意與心力。「真心」是我想回報給這世界的禮物，你呢？是否也想加入「真心相待」俱樂部？

　　再說回這個故事吧，令人動容的是作者傳達了人與他種動物間的平等與和諧，動物朋友們不再是次於人類的低等存在。只要人類願意付出更多的愛心、尊重與關懷，這世間的所有動物朋友們，都可以得到應得的幸福，不再吟唱悲傷的歌！

這本書的文字作者 Philip C. Stead 和繪者 Erin E. Stead 是夫妻檔，兩人的圖文合作總是天衣無縫、屢創佳績。以下兩本繪本（中文版分別由阿布拉出版、道聲出版）也是這對夫妻檔的作品，同樣值得細讀：

另外，繪者 Erin E. Stead 於 2016 年 8 月與文字作者 Michelle Cuevas 共同創作了一本精采的繪本，書名為《The Uncorker of Ocean Bottles》，故事裡的主角是一位沒有姓名也沒有朋友的男士，他的工作是撿拾漂流在海上的瓶中信，然後無論歷經多少長途跋涉，都要把信交送到收信人手中。見到收到信的人眼神發亮、面露幸福笑意，他也好渴望可以收到信啊！

　　有一天，他撿拾到一封沒有註明收信人的瓶中信，這封信邀請收信人到海邊參加派對，他該如何找到那位收信人呢？

　　很暖心的繪本，邀請你進到故事裡來感受箇中美好。

你還看了哪些療癒暖心英文繪本？

Special Thanks

特別感謝

在三樓咖啡 @coffeethirdfloor

在三樓咖啡

地址：台北市中山區八德路二段 330 號三樓
電話：(02)2776-9281
https://www.facebook.com/coffeethirdfloor/

英文繪本讀書會

不要小看我：33本給大人的療癒暖心英文繪本

2017年3月初版　　　　　　　　　　　　　　　　定價：新臺幣420元
2020年3月初版第三刷
有著作權・翻印必究
Printed in Taiwan.

著　　　者	李　貞　慧	
叢書主編	李　　　芃	
潤　　校	童　　　宇	
插　　畫	劉　潔　恩	
整體設計	ANZO Design	
攝　　影	Sammy Studio	

出　版　者	聯經出版事業股份有限公司	
地　　　址	新北市汐止區大同路一段369號1樓	
編輯部地址	新北市汐止區大同路一段369號1樓	
叢書主編電話	(02)86925588轉5317	
台北聯經書房	台北市新生南路三段94號	
電　　話	(02)23620308	
台中分公司	台中市北區崇德路一段198號	
暨門市電話	(04)22312023	
郵政劃撥帳戶	第0100559-3號	
郵撥電話	(02)23620308	
印　刷　者	文聯彩色製版有限公司	
總　經　銷	聯合發行股份有限公司	
發　行　所	新北市新店區寶橋路235巷6弄6號2F	
電　　話	(02)29178022	

副總編輯	陳　逸　華	
總經理	陳　芝　宇	
社　長	羅　國　俊	
發行人	林　載　爵	

行政院新聞局出版事業登記證局版臺業字第0130號

國家圖書館出版品預行編目資料

不要小看我：33本給大人的療癒暖心英文繪本/
李貞慧著 . 初版 . 新北市 . 聯經 . 2017年3月（民106年）.
280面 . 15.5×22公分（英文繪本讀書會：02）
ISBN　978-957-08-4891-5（平裝）
[2020年3月初版第三刷]

1.推薦書目　2.繪本　3.閱讀治療

912.4　　　　　　　　　　　　　　　　106001738